CARTAS PARA MINHA AVÓ

DJAMILA RIBEIRO

Cartas para minha avó

4ª reimpressão

Copyright © 2021 by Djamila Ribeiro

Grafia atualizada segundo o Acordo Ortográfico da Língua Portuguesa de 1990, que entrou em vigor no Brasil em 2009.

Capa e imagem de capa
Giulia Fagundes/ Estúdio Daó

Foto de miolo
Acervo da autora

Preparação
Stéphanie Roque

Revisão
Camila Saraiva
Marise Leal

Dados Internacionais de Catalogação na Publicação (CIP)
(Câmara Brasileira do Livro, SP, Brasil)

Ribeiro, Djamila
  Cartas para minha avó / Djamila Ribeiro. — 1ª ed. — São Paulo : Companhia das Letras, 2021.

  ISBN 978-65-5921-091-6

  1. Cartas brasileiras I. Título.

21-69935 CDD-B869.6

Índice para catálogo sistemático:
1. Cartas : Literatura brasileira   B869.6

Cibele Maria Dias – Bibliotecária – CRB-8/9427

Todos os direitos desta edição reservados à
EDITORA SCHWARCZ S.A.
Rua Bandeira Paulista, 702, cj. 32
04532-002 — São Paulo — SP
Telefone: (11) 3707-3500
www.companhiadasletras.com.br
www.blogdacompanhia.com.br
facebook.com/companhiadasletras
instagram.com/companhiadasletras
twitter.com/cialetras

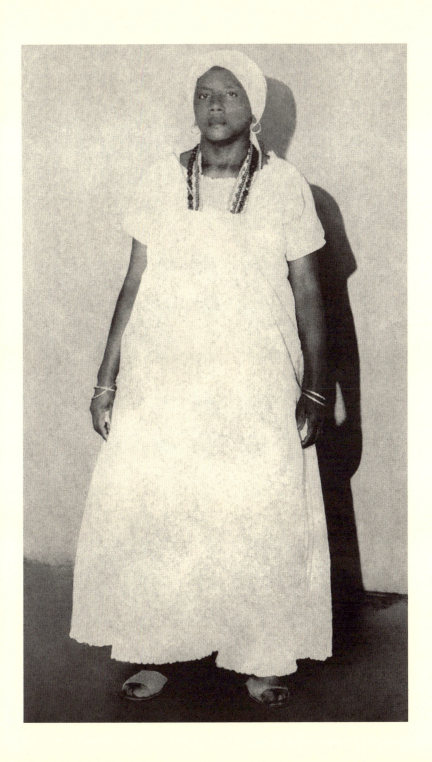

Para Iemanjá e Oxum

Querida vó Antônia,

Minhas lembranças de você têm gosto de manga verde e doce de abóbora. Têm cheiro de feijão e jantar às seis da tarde. Você me adoçava a boca e benzia a alma. "É cobreiro, tem que benzer." Ou: "Essa menina está aguada, dê o que ela quer comer". Eu amava passar minhas férias na sua casa, sentir o amor em sua melhor forma.

Guardo na memória os mimos, as broncas na minha mãe quando ela brigava comigo, o cheiro do Yamasterol no cabelo. As mesadas que me dava escondido, os passeios com o tio Edson. Como meus pais não tinham carro, uma das minhas maiores alegrias era saber que o tio Edson estava indo a Santos me buscar para passar férias com você em Piracicaba. Lá em casa, só quem passava de ano direto tinha esse benefício. Muitas vezes fui sozinha, sem Denis, Helder e Dara — o que eu adorava, confesso, pois sem meus irmãos por perto teria você só pra mim. Quando Dara ia, a gente não somente disputava sua atenção, mas também disputava para ver quem atenderia aquele telefone bonito que você tinha. A vencedora sempre acabava caçoando da perdedora.

Como morava em apartamento, eu adorava brincar pela sua casa, vó, correr pelo quintal, subir nas árvores, fugir dos meus primos que colocavam cigarras no bolso para meter medo em mim. "Parem de assustar sua prima", você dizia. Eu admirava sua coragem em acender uma tocha de fogos para queimar a casa que os marimbondos insistiam em construir na entrada da sua casa no bairro São Dimas. "Quando algum te picar, quero ver você sentir pena", dizia quando eu lamentava a morte dos bichos. Aliás, foi numa dessas férias com você que eu fui picada pela primeira vez por uma abelha. Voltei chorando para casa, aos berros, e você gritando "O que foi, menina?". Foi toda uma operação de guerra para conseguir tirar o ferrão. Depois, você passou uma mistura de ervas que fez meu braço desinchar rápido, e logo eu estava na rua de novo.

Lembro das idas ao supermercado, onde eu podia comprar tudo o que eu quisesse. "Minha neta de Santos está aqui", você dizia para as vizinhas quando ia comprar pão. Ficava tão orgulhosa, tão animada. Nem bronca você conseguia dar direito em mim. Uma vez, quando eu era adolescente e minha mãe me pegou fumando, ela fez um baita drama. Reagi: "Você também fuma, mãe!", e dona Erani ficou sem respostas — o que era raro, você sabe. Uma das saídas que ela encontrou foi dizer que se você estivesse viva me daria uma bronca. É claro que você não gostaria de saber que eu estava fumando, mas eu sabia que somente me diria para não fazer mais. Eu não gostava de fumar, só queria entrar na moda dos cigarros com gosto de canela.

Logo após esse flagra, fui passar férias em Piracicaba, e minha mãe encarregou o tio Edson de brigar comigo. O máximo que ele conseguiu falar, enquanto eu lavava a louça, foi: "E o cigarrinho?". Eu entendi o recado, não respondi, e ele não voltou a tocar no assunto. No dia seguinte, meu tio e eu combinamos de mentir que eu havia levado o maior sermão para agradar minha mãe. Ainda bem que ela nunca soube a verdade. Dona Erani sempre dizia que eu levava todo mundo no bico.

Lembro também, vó, de seu colo quente e amoroso, das suas mãos rápidas que benziam meu corpo enquanto sussurrava rezas quase incompreensíveis. As mesmas mãos que benziam eram as que preparavam comidas fartas e apetitosas no domingo. Que saudade de suas mãos lindas, mãos com história, com calos, mas macias ao acarinhar e trançar meus cabelos. Hoje tento entender o significado de certo mistério que te envolvia. As histórias de ninar que você me contava, tão doces e delicadas, contrastavam com aquelas que minha mãe contava sobre você, histórias que falavam de uma mulher brava, que batia nos filhos, "atirava tudo o que via pela frente". (Aliás, minha mãe detestava o nome Erani Benedita e não fazia a mínima cerimônia em dizer isso. Ser chamada

11

de "Ditona" na infância a aborreceu. Bom, você sabe, minha mãe não perdia oportunidade de dizer.)

Quando você ia a Santos nos visitar, eu mal dormia na véspera, de tanta ansiedade. Como era gostoso tê-la em casa nos mimando. Sempre trazia na mala presentes para os netos, fazia doces deliciosos para todos, cuidava para que ninguém brigasse. O que eu mais gostava era ter você comigo, trançando meus cabelos. Todas as vezes que você ia embora, eu chorava. Até hoje despedidas são difíceis pra mim.

Com os tios Edmilson e Edson também era assim. Você deve ficar feliz em saber que, mesmo após sua morte, eles frequentemente iam a Santos passar as férias com a gente. Em toda despedida, choravam ao abraçar minha mãe. Você sabe, o tio Dema e o tio Edson eram muito ligados à irmã. Eram e continuam sendo. Ainda hoje, quando me encontram, eles se emocionam, dizem que a veem. Conversamos sobre isso sempre que nos reunimos, quando é possível, hoje menos que antes. A família cresceu bastante.

Nunca consegui perguntar a você como foi criar sete filhos com meu avô. Como foi ser a mãe da Edna, do João, do José Roberto, da Erani Benedita, do Avelino, do Edson e do Edmilson. Como foi ser a esposa de José dos Santos. Como você se sentiu ao construir uma boa casa depois de uma vida inteira trabalhando fora, em casa de família. Como foi ser a matriarca de uma das poucas famílias negras de São Dimas, bairro que depois se tornaria de classe média. Como você lidava com o racismo. Será que pensava sobre isso ou foi forçada a naturalizá-lo? Eu não tive tempo de lhe perguntar nada disso. Quais eram os seus sonhos, seus medos.

Um bicho-barbeiro te picou, e você precisou colocar um marca-passo. Com a saúde muito fragilizada, aos 68 anos você nos deixou, com muito ainda para viver. Minha mãe faleceria oito anos depois, ainda mais jovem que você, com 51 anos e 23 dias.

Evitei essa conversa por muito tempo. Confesso que sucessivos lutos — meu pai morreu um ano após minha mãe — me fizeram agir no automático. A ferida que sangra agora é velha, uma ferida que foi aberta anos atrás e não cicatrizou. E toda vez que sinto dor parecida, mesmo vindo de situações diferentes, o corte se põe a sangrar de novo, e muito. Mas agora me sinto pronta, vó.

Minha dificuldade em assumir a tristeza me atrapalhava. Eu só fui chorar a morte dos meus pais depois de algum tempo. Lembro que um dia tocou *À la claire fontaine* no rádio e eu desabei. Os versos "Há muito tempo que eu te amo, jamais te esquecerei" despertaram em mim todas as lágrimas represadas, todo o amor que precisava ser filtrado por águas salgadas. Eu jamais esqueceria meus amores primeiros, mas era preciso uma canção cantada com ternura para me lembrar que eles precisam ser eternizados sem dor em demasia. Como essa dor será carregada para sempre, ela não pode nos fazer afundar e esquecer as memórias felizes. Para que não evitemos um sorrisinho de canto quando nos pegamos repetindo aquilo que condenávamos nos nossos pais. Para que seja possível rir do dia em que fugimos de uma surra. Para que possamos ir atrás do caderno de receitas toda vez que bater a saudade de acordar com o delicioso cheiro de pão caseiro assando. Para trazer as memórias dos dias em que acordávamos cedo para passar o dia na praia com meu pai.

No enterro de minha mãe, a mãe de uma amiga me disse: "Não chore, você precisa ser forte pelos seus irmãos". Sei que ela não falou por mal, mas quão cruel é dizer para uma jovem de vinte anos que ela não pode chorar a morte de sua mãe? E mais: que ela precisa ser forte?

Essa imagem da mulher negra forte é muito cruel. As pessoas se esquecem de que não somos naturalmente fortes. Precisamos ser porque o Estado é omisso e violento. Restituir a humanidade também é assumir fragilidades e dores próprias da condição humana. Somos subalternizadas ou somos deusas. E pergunto: quando seremos humanas?

Muitas vezes eu me tranquei no banheiro para chorar, porque eu não me sentia à vontade para fazer isso na frente dos outros. "Não chore, não chore, não fique assim", as pessoas diziam se me vissem. Há uma obrigação de felicidade insuportável. Uma obrigação de fortaleza insuportável.

Em geral, as pessoas não se interessam em nos perguntar onde e como dói, pois acreditam que já conhecem o antídoto para a dor, ou que simplesmente não há a necessidade de senti-la. Numa das poucas vezes que me abri e falei da minha dor, ouvi de uma vizinha que "a vida é dura para quem é mole". Eu era muito jovem, mas sempre soube identificar a indiferença. A indiferença a outras realidades e vidas que não haviam começado com cheiro de talco e cama confortável. Sua vida foi dura, vó, mas você estava longe de ser mole. Conseguiu jorrar amor pelas frestas do concreto e possibilitar um mundo sem náuseas para uma menina preta que buscava sentido na vida. Mas seria perda de tempo explicar para a vizinha que nós não éramos responsáveis pela dureza da vida, porque ela estava ocupada demais com as ofertas do supermercado e não tinha sequer disposição para um banal "vai passar".

A outra vez em que tentei falar das minhas dores foi no centro espírita que eu frequentava, um espaço muito importante na minha vida. Cheguei a ele por meio de uma amiga de escola quando eu tinha dezessete anos. Cursei a Mocidade Espírita, a Escola de Aprendizes do Evangelho e tive amparo espiritual por um tempo. Quando minha mãe morreu, vó, procurei uma das dirigentes do centro para conversar. Contei das dificuldades que enfrentava, da tristeza que sentia e de como, com a volta da tia Edna para casa dela — depois de alguns meses cuidando de mim e de meus irmãos — tudo estava difícil demais para os meus vinte anos. Ela escutou com atenção, me aconselhou, mas, talvez por eu ter problemas tão distantes da realidade dela, acabou caindo no lugar-comum: "Quando a vida te der limões, faça uma limonada".

A gente sabe, vó, que na nossa família as mulheres já fizeram jarras inteiras de limonada com só meio limão — como aquele dito popular de colocar mais água no feijão. Nosso povo inventou a feijoada com restos de porco e a transformou no prato mais conhecido do país, numa espécie de milagre da multiplicação. Não nego a genialidade da criatividade, sou grata a ela, porém questiono essa fixação no escasso.

De certo modo, entendi que a resposta da dirigente do centro espírita se assemelhava em muito àquela dita pela minha vizinha — difícil. As pessoas estão acostumadas a reproduzir frases de efeito acreditando espalhar pílulas de sabedoria por aí. Mas tudo o que eu desejava — e precisava — era alguém que pudesse me dedicar alguns minutos antes de voltar metodicamente a seus compromissos e dissesse simplesmente: "Chore, tudo bem ficar triste", ou mãos me abraçando em silêncio, acolhendo meus soluços enquanto eu colocava pra fora minha dor e saudade.

Porém, ao contrário, o que vi foi a crueldade de se esperar que uma jovem de vinte anos fosse forte no dia da despedida de sua mãe. Aprendi a não chorar para não incomodar, a controlar as lágrimas em público — até o momento que sequei cada uma delas até pra mim. Acreditei que eu precisava ser forte e me recusei a entrar em contato com a dor.

Confesso que depois que você partiu, vó, eu perdi um pouco da vontade de ir a Piracicaba. Só voltei depois de três anos, e foi difícil passar na sua casa e não chorar. A Renata, filha da tia Edna, ficou morando lá. Até hoje tenho medo de entrar e não ver o lugar que me acolheu com tanto amor — e por isso nunca mais fui visitá-la. Vou à casa dos meus tios, mas não consigo ir à linda casinha branca no bairro São Dimas. Prefiro manter intactas as memórias dos dias cheirando a boldo, de sentir a terra úmida do quintal no pé quando chovia e do gosto do doce de abóbora de domingo. Não quero ter de perguntar o que aconteceu com o pé de manga. É pra lá que eu volto nos meus dias tristes.

Quantas histórias eu teria aprendido, quantos colos eu perdi. Sobretudo, o quanto não conheci você e dona Erani como mulheres, para além do papel de avó e mãe. Eu não tive tempo de contar sobre minhas frustrações no amor, de mostrar como minha filha, Thulane, se parece com vocês duas. Mas acredito que contar minha própria história é um modo de revivê-las, de mantê-las vivas. Quero escrever sobre você, vó, e te contar o que não tive tempo de contar antes. Quero que muitas pessoas saibam que, para além da aspereza e dureza da vida, você transmitiu ensinamentos importantes. Afinal, como não ser dura quando a vida é assim? Como educar sem bater quando a violência era herança e cotidiano? Minha mãe nos criou assim também. Mas você quebrou esse ciclo comigo, vó, me amando como me amou. Por isso, fui capaz de fazer o mesmo com a minha filha. Você humanizou toda uma linhagem e é meu dever também humanizá-la e, ao contar a você um pouco do que aprendi, eu me humanizo também. Não apenas eu não tive tempo de conhecê-la, mas você também não pôde me conhecer. Apesar de você sempre saber quem eu era, com essas cartas quero lhe apresentar quem me tornei. Espero que não se incomode por eu chamá-la de "você" e não de "senhora", mas é porque eu quero aqui conversar com a Antônia.

Não sei quase nada da sua infância, vó, e adoraria saber mais. Do meu lado, posso dizer que não foi fácil ser uma menina preta em um bairro majoritariamente branco. Nossa família era a única negra do prédio. Meu pai e outros colegas haviam ganhado um dinheiro em um bolão da Loteria Esportiva e foi com a parte dele que conseguiu dar entrada no apartamento térreo da praça Coronel Fernando Prestes, entre os canais 4 e 5 em Santos. Nosso apartamento era próprio, apesar das muitas prestações da Caixa Econômica Federal que ainda precisavam ser pagas.

Foram várias as vezes em que meus irmãos e eu fomos acusados de algo que não havíamos feito ou sofrido violências que nem sequer sabíamos nominar. Lembro de uma em especial, quando eu tinha seis anos de idade. Eu brincava com as vizinhas na escadaria do prédio, bem ao lado do nosso apartamento. Enquanto a gente combinava a brincadeira, uma das meninas brancas questionou:

"Mas se Djamila é preta, ela não pode brincar com a gente, pode?"

"Ih, é verdade! Você não pode ser mãe da nossa boneca."

Eu não retruquei, tinha só seis anos de idade. Por mais que me incomodasse muito não poder brincar com elas, o que elas diziam parecia fazer certo sentido. Minha mãe era negra, meu pai era negro, meus avós eram negros, eu e meus irmãos também. Na minha cabeça de criança, aquelas palavras foram cortantes, mas lógicas.

Meu pai, que tinha escutado tudo, dias depois chegou do trabalho com um presente para Dara e para mim. Nós tínhamos o hábito de esperá-lo no portão do prédio e, assim que ele dobrava a esquina, a gente corria fazendo aviãozinho com os braços para pular no colo dele. Nesse dia, porém, estávamos em casa. Quando abri a caixa e vi a pequena boneca marrom, um mundo pareceu se abrir. Lembro até hoje do cheiro dela e da minha alegria em me exibir pelo prédio. De pegar um lençol velho, estender embaixo da escadaria e começar a montar a minha casinha, com a boneca que poderia ser a minha filha. Anos mais tarde fui entender a magnitude do gesto do meu pai. Imagino o quanto lhe deve ter doído escutar as palavras daquelas meninas, quantas memórias podem ter sido acionadas. Sem falar no quanto ele deve ter andado para encontrar, em 1986, bonecas que se parecessem com suas filhas.

Quando pequena eu também me distraía colecionando

papéis de carta, e amava o cheiro deles, a magia que carregavam, a sensação de paz que aqueles desenhos tão delicados me davam. Adorava trocá-los com as amigas, sempre invejando a pasta cheia de folhas que elas tinham. Eu tentava convencer a minha mãe de que eu precisava de mais papéis, mas ela sempre sublinhava, com firmeza, que era preciso garantir as compras do mês para os quatro filhos.

 Eu também amava olhar pela janela do meu quarto à noite, tentando ver as estrelas. Sentia saudade de algo que não sabia nomear. Nas festas de fim de ano, era pior, essa saudade sem nome aumentava. Minha mãe, com sua mania de limpeza, passava o dia inteiro faxinando. Lembro até hoje do cheiro do removedor Varsol no chão de taco. Na véspera do Natal, dava uma ansiedade gostosa usar roupas novas, sentir o cheiro das roupas novas, poder tomar um banho mais demorado sem que meu pai batesse na porta, gritando: "Tá viva aí?".

 Lembro quando, aos oito anos de idade, ganhei uma boneca chamada "mãezinha", que se mexia e falava "mamãe". Por alguns minutos, ela teve minha atenção. Porém nada me deixou mais fascinada do que o carrinho de bombeiro que um dos meus irmãos havia ganhado. As sirenes, o pisca-pisca e o carro rodando me deixaram hipnotizada. Os outros meninos do prédio se amontoaram para ver, e percebi que era melhor eu me manter afastada. A boneca logo perdeu a graça e passado um tempo já estava sem braço, o que deixava meu pai furioso. "Eu me mato de trabalhar na estiva para vocês não darem valor às coisas."

Esse sentimento de ter que fazer tudo certo porque meu pai se matava de trabalhar ou porque caso contrário minha mãe bateria na gente foi um fantasma por muito tempo. Claro que a culpa não era dos meus pais, pessoas da classe trabalhadora, que desde cedo precisaram enfrentar as durezas da vida. Mas esse modelo rígido de "não pode errar jamais" pode ser muito pesado. Sei que você também foi educada assim, vó. Se errar, apanha. Se errar, vai ouvir sermão de três horas e ser privado de tudo. Se repetir, te tiro da escola. Se não limpar a casa, te dou uma surra. Claro que precisávamos aprender a ter responsabilidades, mas éramos crianças, íamos errar — e somos seres humanos, vamos errar. Essa rigidez, porém, acabou acentuando os problemas de autoestima que o racismo nos causa. Então, para me proteger, ou eu mentia ou me boicotava.

Lá em casa, vó, crescemos entendendo que errar era mais um privilégio de brancos. "Antes eu te bater do que a polícia", era uma frase que minha mãe dizia sempre pra gente. O medo da violência policial faz com que as mães negras não possam permitir que seus filhos errem — e isso é violento também com elas. Meus colegas brancos sempre pegavam balas e bombons quando iam às lojas Americanas. Era a diversão deles. Uma vez, fiz o mesmo. A surra que eu levei me fez nunca mais repetir a dose. E o pior é que minha mãe tinha razão: em situações como aquelas, crianças brancas levariam uma leve advertência, crianças negras, não. Por isso, quando errávamos a punição era rigorosa — para que não esquecêssemos de como a sociedade nos trataria. Raramente havia acolhimento, nossa mãe não tinha tempo e a vida exigia.

Também tinha essa: "Se você brigar e apanhar, quando chegar em casa vai apanhar ainda mais". E a justificativa era a velha frase de sempre: "Estou te preparando para a vida". Preparar para a vida, quando se trata de uma criança negra, é ser brutalizada o bastante para aprender a lidar com a brutalidade do mundo. É um ciclo que se propaga impedindo a gente de ser, somente ser. Eu passava horas fantasiando a vida que eu gostaria de ter, porque aquela com a qual eu tinha que lidar me causava náuseas.

Apesar das durezas reproduzidas e reforçadas pelo racismo, você sabe que vivíamos momentos felizes lá em casa, vó. Meu pai lia pra gente, nós brincávamos na rua e minha mãe, quando não estava exaurida pelos trabalhos domésticos, era bem-humorada. A vida era simples, mas não nos faltava nada. Você sabe como eu era falante e inteligente, como meus pais gostavam de me exibir para parentes e amigos.

Ir pra escola, porém, foi como desaprender a ter um espaço seguro. Mesmo estudando no Colégio Moderno dos Estivadores, destinado aos filhos e netos de trabalhadores, os xingamentos eram constantes e as professoras nunca me escolhiam para protagonizar nada. Aos poucos, fui criando proteções.

As educadoras e os educadores não tinham o mínimo preparo para lidar com questões raciais. Quando eu reclamava para a professora sobre alguma ofensa, ela dizia para eu não ligar. Se eu respondia, as ofensas se multiplicavam. Na segunda série, havia uma menina de nome Sabrina que adorava implicar comigo. Ela fazia piadas durante a aula, me perseguia no recreio. Sabrina era daquelas loiras com estojo automático, canetas coloridas com cheiro de chiclete e caixa grande com vinte e quatro canetinhas. Seus cadernos eram bem encapados, sua mochila era grande e rosa e seu uniforme engomado. O sonho das minhas professoras e dos meus professores, a pequena musa dos meninos em seus namoros imaginários.

Você dizia que eu era uma menina linda, meus pais também, mas quando se tem oito anos isso não basta. Como nós éramos em quatro irmãos, o meu pai comprava os materiais mais simples, para que todos tivessem o seu. Eu sonhava com o estojo que Sabrina e as outras meninas brancas tinham, e agradecia quando alguma delas, em raros atos de gentileza, me deixavam brincar com eles. Mas Sabrina, não, ela nunca emprestava seu material. Mesmo seu pai sendo estivador, como o meu, ela se gabava de ser a "mais rica", porque era descendente de italianos e seu avô, ao morrer, deixou bens para a família.

Meu pai, que ficou órfão de pai aos seis meses e morava com a mãe e a irmã "numa maloca no morro da Penha" — como ele gostava de dizer quando nos dava aquelas broncas intermináveis —, não teve a mesma "sorte". Morou em cortiços com minha mãe, depois numa casa de madeira no Guarujá — lá, quando chovia, "até cobra entrava", ela sempre lembrava. Os três primeiros filhos nasceram nessa casa. Eu, por conta do bolão da loteria esportiva, já nasci no apartamento de dois quartos entre os canais 4 e 5, em Santos. Graças ao empenho da minha mãe em ir à Caixa Econômica Federal para renegociar as parcelas do financiamento, meus pais conseguiram quitar o apartamento quando eu ainda era adolescente. Foi lá que vivi os primeiros vinte e dois anos da minha vida, vó, sem regalias.

Sabrina podia não entender nada de teorias racistas, mas sabia aproveitar seus privilégios para sempre se colocar à frente e tentar controlar e comandar tudo. Ela era como a líder da turma. Uma vez eu pedi uma canetinha emprestada para uma colega, a Ana Carolina, uma garota branca e loira — outra princesa da escola. Antes que ela pudesse responder, Sabrina interveio: "Djamila é preta, então empresta só a canetinha preta pra ela". Ana Carolina hesitou, mas riu, e as outras crianças da sala também. Era sempre assim, elas nunca me defendiam ou recriminavam o que ouviam, era quase intuitivo o desprezo que sentiam.

Cansada daquelas humilhações, respondi sem pensar para Sabrina: "Na hora do recreio eu vou te pegar". O que eu havia dito somente para me defender, virou uma sentença. No recreio, enquanto eu conversava com uma colega da outra sala, Sabrina se aproximou: "Você não disse que ia me pegar?". E logo uma rodinha se formou, incentivando o espetáculo.

Senti que não tinha opção e bati em Sabrina. Conforme batia, a roda gritava, se comprazendo com algo que poderia ter sido evitado. Ao ouvir a gritaria, dona Assunção, inspetora da escola, apareceu. Assim que a avistei, com seus braços fortes e avental azul, congelei e me afastei da minha adversária. Eu havia ganhado a briga, então sabia que não apanharia em casa. Meu medo era, na verdade, de levar bronca da diretora, famosa por ser linha dura.

Eu sabia que todas as crianças negras que revidavam eram advertidas, suspensas ou passavam horas na diretoria. As professoras nunca nos defendiam, então que opções tínhamos? Mesmo ganhando a briga, se eu fosse suspensa ou algo do tipo, a punição lá em casa seria dura. Com um frio na barriga, imaginei o pior. Foi Sabrina que, sabendo o quanto a escola era devota de meninas como ela, quebrou o silêncio que se formou no pátio: "Dona Assunção, a Djamila me bateu", e desabou a chorar. Eu, sabendo o quanto aquela escola repudiava meninas como eu, já tinha dado como certa a surra que levaria em casa após ficar horas ouvindo broncas da diretora. É a dupla violência: somos violentados pelo racismo e por enfrentá-lo. Porém, para minha surpresa, dona Assunção respondeu: "Bem feito, Sabrina, quem mandou você mexer com ela?".

Naquele momento, vó, sem saber racionalizar direito, eu me senti em casa, segura. Além disso, ganhei o respeito de algumas crianças que também não gostavam de Sabrina, e essa foi uma das raras vezes em que fui vista como uma vencedora — e não como a "neguinha feia do cabelo duro". Sem saber, dona Assunção me mostrou que era importante lutar para ser respeitada. Ela foi, por um breve momento, a música que me livrou da náusea. Ali, sem saber, ela me fez perceber que a sensação de direito adquirido era melhor que a sensação de dever cumprido.

As coisas na escola, porém, seguiram com as mesmas naturalizações de violência. Adorava quando você mexia nos meus cabelos mas, no resto do tempo, eu os detestava. Implorava para meu pai me deixar alisá-los. Quando a permissão veio, eu tinha a ilusão de que ficariam iguais aos das mulheres brancas nas capas de revistas, que voariam e balançariam com o vento, mas isso não aconteceu. Mais tarde, lendo Toni Morrison, reencontrei esse sentimento em Pecola Breedlove, personagem do livro *O olho mais azul*, que acreditava que tinha olhos claros.

Eu queria levar pente e escova para a escola como as meninas brancas faziam. No recreio, elas se sentavam em um lado específico do pátio e ficavam escovando os cabelos enquanto conversavam e eram admiradas pelos meninos. Numa das primeiras vezes que alisei o cabelo, também levei minha escova. Sentei ao lado de umas meninas e fiquei ali, satisfeita, passando a escova que deslizava com mais facilidade nos fios alisados. Por um momento, foi uma sensação incrível até ouvir um garoto mais velho me atacar: "Cuidado para não quebrar o pente!". As gargalhadas das outras crianças desafinaram a sinfonia que eu escutava e, morrendo de vergonha, eu imediatamente guardei a escova e me levantei.

As revistas adolescentes da época pareciam confirmar que eu era feia. As musas teen que estampavam as capas eram todas brancas. Os ídolos teen também. Nas entrevistas, eles sempre eram perguntados sobre como era a "garota ideal", se loira ou morena. A alternativa "negra" nunca aparecia, o que parecia gritar na nossa cara que éramos feias.

A televisão fazia o mesmo. O *Xou da Xuxa* era o programa mais assistido por todas as minhas amigas. Elas colecionavam vinis e fitas cassetes, sabiam cantar todas as músicas, se fantasiavam de paquitas em suas festas de aniversário. Quando meu pai não estava em casa, eu cobria o cabelo com uma toalha e brincava de ser paquita. Precisava fazer isso escondida, porque ele nos proibia de assistir à Xuxa, dizia que não tinha nada a nos ensinar, que sua influência era maléfica. Também se referia a ela com termos machistas que prefiro não reproduzir aqui. Hoje eu entendo a preocupação do meu pai, mas vai explicar para uma criança nos anos 1990 que ela não poderia assistir ao programa mais famoso da televisão.

Numa das raras vezes em que fomos ao cinema com a escola, nós assistimos ao filme *Lua de cristal*, do qual Xuxa é a protagonista. Lembro de ter gostado do filme, mas também lembro que senti um profundo incômodo. Na saída, ao final, meninas brancas conversavam alegremente sobre o filme enquanto eu, sozinha, pensava em como nada do que eu tinha acabado de ver se relacionava com a minha realidade. Eu voltaria para casa, minha mãe estaria finalizando alguma tarefa doméstica, meu pai chegaria do porto e iria conferir se havíamos feito a lição de casa, eu precisaria ir ao mercado ou à padaria a pedido da minha mãe e dormiria sonhando com o ideal que o filme construiu.

Quando meu pai falava que os filmes da Xuxa eram racistas, as pessoas retrucavam bravamente: "Joaquim, você está louco? Ela é uma referência e ensina bons exemplos para as crianças. Não há cenas de racismo em seus filmes!". Meu pai tentava argumentar, mas de alguma forma lhe faltavam palavras. De fato, não havia cenas de discriminação direta, mas tampouco havia personagens negros nas histórias: tudo girava em torno de garotas e garotos brancos e loiros e seus dramas. Como a menina preta, filha do estivador e da dona de casa, que precisava dividir o quarto com os irmãos e a irmã porque morava em um apartamento pequeno, que passava as férias em Piracicaba porque era onde vivia a família, sentiria que aquele filme foi feito para pessoas como ela? Nada no mundo que era bonito se parecia comigo. E ainda havia um grande conflito interno em mim: deveria acreditar no que meu pai dizia ou no que o mundo me mostrava? Hoje percebo a crueldade disso, mas à época eu me escondia do mundo e culpava Deus por não ter me feito branca.

Nas festas juninas, nenhum menino queria dançar comigo. Nas aulas, as professoras só aceitavam que eu participasse com destaque de alguma atividade se as garotas brancas não estivessem à altura. Eu gostava de estudar e aprender, vó, mas não gostava de ir à escola. Na hora do recreio, eu via as amigas inseparáveis, reunidas, combinando felizes coisas para fazer depois da aula, enquanto eu, se não estava com minha irmã ou com alguma colega que também era excluída, ficava sozinha. Mesmo minhas amigas riam quando algum menino fazia piada comigo, o que me machucava e decepcionava, impedindo que a amizade se aprofundasse. O racismo é tão cruel que até os garotos negros zombavam da gente. O carinha que acabou com a minha ilusão dos cabelos lisos era negro claro. Provavelmente ele se considerava "moreno" e, para ser aceito entre os meninos brancos, estabelecia esse pacto macabro.

As coisas melhoraram um pouco quando um afilhado do meu pai, repetente, passou a estudar no mesmo período que eu. Ele era como um primo pra mim, dizia que se alguém me xingasse era pra eu avisá-lo. Como ele era mais velho, já havia repetido de ano várias vezes, todos o respeitavam ou temiam, e eu me sentia protegida. Foi uma fase poderosa pra mim, em que aprendi a força e a importância das alianças. Infelizmente, minha alegria não durou muito: ele foi expulso da escola por furar os pneus do carro de uma professora.

Uma das memórias mais marcantes daquela época foi o que hoje chamo de "círculo de horrores". Um menino da escola, metido a malandro da turma, começou a rodear a mim e a minha irmã, gritando "Orra, neguinha". Esse ritual durou meses. No recreio, ele nos procurava, outros meninos se aproximavam, faziam uma rodinha e ficavam repetindo "Orra neguinha, orra neguinha", enquanto todos no pátio riam de nós. Ninguém chamava a inspetora ou a diretora. Tivemos que aprender a lidar com aquilo, ora caladas, ora revidando e xingando de volta. Não satisfeitos, eles escreveram na parede da escadaria a expressão que usavam para nos atormentar. Uma "amiga" da minha irmã foi quem nos mostrou, rindo.

Não lembro quanto tempo exatamente esse tormento durou, mas lembro que passei muitos recreios dentro do banheiro para me esquivar daquele horror. Assim como um personagem de *O olho mais azul* que aceitava as ofensas porque elas eram como piolhos, incômodos, mas inevitáveis, eu fui me acostumando a lidar com aquilo — até o dia em que minha mãe soube de tudo.

Ela tinha ido à escola resolver um problema na secretaria e ficou para esperar por mim e por Dara. O problema demorou a se resolver, então fomos nós que tivemos que aguardar. Quando finalmente saímos da escola, já havia passado um bom tempo desde o horário da última aula e o entorno estava vazio. O menino que puxava a rodinha geralmente ficava por ali fumando com os garotos mais velhos e, ao avistar a gente de longe, gritou o conhecido "Orra". Sua voz, porém, logo emudeceu, como se ele tivesse levado um susto. Ele até tentou disfarçar, mas a constatação de que estávamos acompanhadas o fez empalidecer.

Sem entender, minha mãe perguntou quem era aquele e o que ele havia gritado, e contamos tudo o que ele vinha fazendo. Ela nem precisou ouvir muito e já saiu correndo atrás do menino, que tentou fugir, mas foi pego na esquina seguinte. Dona Erani agarrou o garoto pela gola da camiseta, o suspendeu e disse: "Na próxima vez que você mexer com as minhas filhas, eu vou quebrar a sua cara". De olhos arregalados, ele respondeu que contaria para os pais dele. "Pode contar, você acha que eu tenho medo? Cadeia não foi feita pra cachorro!", ela retrucou. O garoto fugiu assustado e nunca mais nos incomodou.

Quando soube do ocorrido, meu pai chamou minha mãe de louca. Ela não deu ouvidos, claro. "Se alguém mexer com os meus filhos, eu viro uma leoa", respondeu. Dona Erani jamais permitiria que as pessoas nos desrespeitassem, vó. Apesar da amargura da vida, de cobrar bastante da gente, de não ter muita paciência, ela nos protegia. Às vezes, sentia que ela desejava ser mais leve, não tão dura, mas era como se algo maior a obrigasse, um medo de "não criar uma filha para a vida". "Não vou viver pra sempre, Djamila."

Minha mãe carregava uma pressa, não podia perder tempo me adoçando para além da conta: eu precisava voar mesmo quando ainda devia estar sob suas asas. E não era por maldade. Era pressa. Quando ela morreu, eu tinha vinte anos. Ela sabia que partiria cedo. Sempre soube. De algum modo, eu também sabia e aproveitava todos os momentos para ficar perto dela. Quando eu era criança e tinha dificuldade para dormir, ia até seu quarto e pedia para dormir com ela e meu pai. E ela sempre deixava, me encaixando do lado dela e me abraçando. Quando eu ficava doente, ela me mimava, deixava comer tudo o que eu tinha vontade e fugir da nossa rotina de alimentação controlada, com muitas verduras e legumes, além das cápsulas de óleo de fígado de bacalhau e das doses de Biotônico Fontoura.

Eu sofria com dores de garganta crônicas e todos os anos precisava ir ao Hospital dos Estivadores tomar antibióticos e injeções fortes. Pegávamos ônibus comigo ardendo em febre, e ela pedia para alguém me ceder o lugar. Não havia a mínima possibilidade de fugir na hora de tomar injeção, porque ela tinha uma técnica infalível para me segurar. Muitas vezes lhe pediam para segurar outras crianças, o que ela fazia com muito gosto, mesmo reclamando que as mães brancas eram muito moles.

Eu só fui me curar dessa dor crônica na adolescência. O otorrino sugeriu a cirurgia de retirada das amígdalas, mas minha mãe foi veementemente contra. "Olha doutor, na minha época era assim, todo mundo arrancava, mas hoje? Eu não sei pra que servem as amígdalas, mas se estão aí é porque são para alguma coisa. Não vou deixar a menina operar sem necessidade." E finalmente, vó, ela recorreu às ervas. Lembro que fui levada a um centro que oferecia cura espiritual, onde passei por uma consulta que demorou muito tempo, mais de duas horas. O médico disse que minha dor era provocada pelo meu medo de falar as coisas e pediu que, todas as vezes que sentisse incômodo na garganta, eu me perguntasse o que estava guardando, o que deveria ser externalizado. Esse exercício, aliado às gotas diárias do remédio homeopático que me foi receitado, fizeram com que eu nunca mais tivesse as mesmas crises.

Eu amava ver minha mãe se arrumar pra sair, se maquiar. Quando ela não estava em casa, eu abria as gavetas de sua penteadeira e cheirava seus batons Encore. Ela usava um cor de vinho que a deixava muito bonita. Ela se perfumava com Toque de Amor e se sentia a mulher mais cheirosa do mundo. Bom, era o que eu achava, mesmo quando algumas colegas na escola diziam que aquele era um perfume de pobre.

Minha mãe sempre teve uma aura de magia e nobreza, mesmo usando marcas populares. Dona Erani possuía uma elegância encantadora: o jeito que passava o batom, abria a tampa do perfume, desenrolava os bobes do cabelo soltando os grampos com suavidade. Eu a admirava de longe, observando o modo delicado com o qual ela passava hidratante no corpo, abotoava a camisa, desamassava as calças de linho. Em determinado momento, porém, tudo isso se perdeu. Entre uma traição do meu pai aqui, outra lá, minha mãe foi se esquecendo de si mesma, mas eu sempre a vi com o brilho nos olhos da menina fascinada pela mulher.

    E, como disse, ela tinha pressa. Nas festas de suas amigas, ela sempre nos levava. Nunca foi daquelas mães que não se divertem porque precisava arrumar um lugar quieto pra gente dormir. Nunca saiu mais cedo de uma festa porque nós estávamos com sono. Nos seus raros momentos de diversão, ela realmente aproveitava. E eu adorava quando ela sentava para beber cerveja, rir, dançar. Ela ficava calma, e a gente conseguia quase tudo o que queria. Longe do meu pai, numa roda de samba no quintal de uma casa simples, ela se abria. Quando eu ficava cansada, pedia para deitar em seu colo. Sem baixar o tom de voz ou pedir para o tamborim parar, ela me aninhava e seguia contando causos, comendo, curtindo a festa. Eu simplesmente amava ouvir o som abafado de sua voz enquanto um dos meus ouvidos estava encostado em seu peito. De sentir o cheiro do perfume e do batom vinho Encore misturado com odor de cerveja e carne de segunda. Tocar a pele macia do seu colo e me achar importante por estar na mesa dos adultos. Eu também tinha pressa, pressa e desejo de aproveitar cada momento raro em que minha mãe parecia ser só minha.

    Ela sempre nos arrumava de forma impecável. Conforme fomos crescendo, se saíssemos de casa com as pernas ruças — acinzentadas pela falta de hidratante —, sem passar desodorante ou sem limpar os olhos direito, era bronca na certa. "Preto tem que andar arrumado", ela dizia passando o dedo na língua e limpando nossos olhos com a saliva.

E ela era tão obcecada com isso que podia nos bater caso não estivéssemos com o uniforme limpo e passado e as pernas reluzentes. "O mundo não vai te ensinar com amor", minha mãe justificava. Não demorou muito para entender o porquê. Foram várias as vezes em que escutei que eu era uma neguinha fedida, mesmo sendo uma das crianças mais cheirosas da escola. Ou que meu cabelo era sujo e cheio de piolhos, mesmo minha mãe cuidando sempre. Toda vez que algum cheiro ruim surgia na sala de aula, as outras crianças diziam que deviam ser os "negros fedidos". Tínhamos, então, que estar sempre impecáveis, senão havia punição severa — em casa ou fora dela.

Somos de tempos diferentes, vó, e para mim não é aceitável que se bata em crianças — mas eu compreendo vocês duas. Talvez a minha mãe nunca tivesse sido amada sem sentir dor. Sabe, Toni Morrison diz que "o amor nunca é melhor do que o amante, que quem é mau ama com maldade e quem é violento ama com violência". Com isso não quero dizer que vocês eram más e violentas, mas que o sistema que as violentou confinou vocês numa situação em que a violência era a única saída. E, mesmo assim, apesar de toda maldade que lhes foi infligida, vocês amaram. Houve a transcendência pelo amor. Vó, você me amou incondicionalmente. Minha mãe, apesar das cicatrizes e traumas, me aninhava nas minhas noites de insônia, esquentava leite com mel nos meus dias de dor, me arrumava como se eu fosse a menina mais bonita do mundo. E se hoje minha filha não sabe o que é uma surra, é porque nossa linhagem ancestral sobreviveu ao que nos foi imposto.

    Mas por mais que eu tenha tentado me afastar da educação rígida de vocês, algumas coisas permaneceram. Broncas intermináveis — com as mãos na cintura, como vocês faziam — quando Thulane apronta, olhar feio quando ela se intromete em coisas que não são da alçada dela. Eu sou capaz de ficar horas contando a história de vocês quando ela ousa tirar notas medianas na escola. Ela precisa saber de onde veio para escolher para onde vai, não pode se achar superior a vocês, precisa entender que vida dela é resultado da vida de vocês. E é claro que eu evoco minha mãe quando ela me responde atravessado: "Ah, Thulane, se eu falasse assim com a sua avó, eu não teria dentes…".

Enquanto escrevia essas cartas para você, meu irmão Denis, o mais velho, me enviou uma foto sua, vó. Você estava toda altiva, usando roupas brancas e com um turbante na cabeça. Fiquei observando cada detalhe da imagem, me demorei imaginando quais histórias havia por trás das rugas em seu rosto, quantas vidas tinham sido afetadas por aquelas mãos calejadas que curavam cobreiros e davam esperança aos que foram benzidos. Mas nada me chamou mais atenção do que seus olhos. Um olhar penetrante, forte e, de novo, altivo. Minha mãe carregava o mesmo olhar, apesar de ele ter sido encurvado pelo tempo. Às vezes ela falava só com olhares, e eu aprendi a decifrar cada um deles: "Saia daqui", "Fique quieta", "Não se meta, é conversa de adulto", "Quando seu pai for trabalhar, você vai se ver comigo".

Um olhar, porém, me é inesquecível. Um olhar que só

mulheres cúmplices podem trocar: "Confirme com seu pai que a compra custou tanto", "Veja se seu pai desligou o chuveiro para que eu tenha tempo de checar a carteira dele". O resultado desse olhar significaria compras a mais no supermercado, roupas novas fora do Natal, guloseimas no domingo. "Se seu pai vai gastar dinheiro na rua, que a gente tire o nosso", minha mãe dizia.

Essa cumplicidade, porém, tinha um sentido mais profundo: o de me proteger das violências que somente mulheres sofrem. Esse olhar poderia ser feio para quem mexesse com a gente na rua, de fúria para vizinhos que dissessem lascivamente "suas filhas estão crescendo", de amor e afeto quando ela me dizia para dormir com ela na sua cama. Se as injustiças do mundo me deixam indignada, foi porque olhos altivos negros da cor da noite me acolheram antes que eu pudesse aprender as palavras, antes que eu soubesse o que era feminismo ou luta política. Olhos que me repreenderam quando eu estava errada e que me ensinaram a humildade de pedir desculpas.

Por mais que você e minha mãe se desentendessem constantemente, seus olhares eram quase iguais. Penso que somente a geração futura poderá fazer justiça às mais velhas ou compreender outros olhares. Como se diz no candomblé, os mais novos precisam dos mais velhos, reconhecer o caminho pavimentado, mas os mais velhos também precisam dos mais novos, para seguirem existindo e terem senso de continuidade. A força dos olhares cúmplices seus e de minha mãe, mesmo que menos frequentes do que desejávamos, foi fundamental para me ensinar a ver o mundo pela perspectiva da mulher que enfrenta visceralmente o mundo. Ao ver seus olhos na foto, entendi de onde herdei os meus.

Nunca te falei disso, vó, mas talvez minha mãe tenha contado. Quando eu tinha seis anos, um afilhado dela, de onze, foi passar um tempo lá em casa. A gente brincava muito juntos, pulando corda e correndo pelo prédio. Um dia, minha mãe precisou dar uma saída rápida para o mercado e pediu para uma vizinha ficar de olho na gente, já que estávamos no corredor. Quando se viu sozinho comigo, ele começou a me puxar para dentro do apartamento. Eu briguei dizendo que não queria ir, lutei, mas ele era maior e mais forte do que eu.

A vizinha não ouviu quando fui arrastada para dentro do meu quarto, nem quando eu gritei enquanto ele abaixava meus shorts e passava o pênis em mim. Aos berros que ninguém parecia ouvir, ordenando que ele parasse, consegui fugir.

Não disse nada pra minha mãe quando ela voltou. No

dia seguinte, contei a Dara o que havia acontecido. Estávamos brincando de jogo da memória. Assim que a partida terminou, fui tomar banho, e ela foi contar pra minha mãe, que apareceu no banheiro de repente, escancarando a cortina do box e perguntando se era verdade. Eu somente sinalizei com a cabeça que sim.

Percebi umas movimentações estranhas, meu pai falava bravo com alguém ao telefone. A partir daquele momento, o afilhado da minha mãe, que ainda estava em casa, não se aproximou mais de mim. Quando a mãe dele veio buscá-lo, eu o ouvia gritar: "É mentira, madrinha, é mentira". Meus pais foram taxativos e não o vi por muitos anos. Eu não entendia direito o que havia acontecido, mas lembro que, daquele dia em diante, minha mãe regularmente me perguntava se alguém havia tocado em mim. Ela também insistia que não era pra eu aceitar carona de ninguém ou falar com homens na rua. Meu pai reforçava, de forma contundente: "Nem se for amigo meu, escutou?". E tudo era seguido religiosamente.

Quando eu tinha nove anos, minha mãe e meu pai, com problemas financeiros, precisaram cancelar a van escolar, vó. Meus irmãos e eu, então, passamos a ir a pé para a escola, um trajeto de vinte minutos. Denis tinha treze anos na época e, por ser o mais velho de nós quatro, ficou responsável por olhar a gente — ele e as outras crianças mais velhas que nos acompanhavam. Tudo correu bem por um bom tempo. Um dia, porém, passando em frente ao posto de gasolina que ficava no caminho de volta para casa, um frentista me chamou, dizendo que queria me dar uma boneca. Eu não respondi e fui logo contar pro Denis, como minha mãe exigia. Ele, claro, ficou ao meu lado e xingou o homem. O frentista correu atrás da gente e nós tivemos que fugir, atravessando uma grande avenida às pressas e quase sendo atropelados.

Em casa, contamos tudo pra nossa mãe, que ficou furiosa. Ela esperou meu pai chegar e exigiu que ele fosse até o posto tirar satisfação, mas ele não podia, porque tinha mais um turno no trabalho. Aborrecida, dona Erani reuniu os pais das outras crianças que iam à escola com a gente e foi ao posto de gasolina brigar com o frentista, que negou tudo, alegando que correu atrás da gente porque estávamos vandalizando o posto. Ela ficou furiosa e armou o maior escândalo. Por um tempo, ela tentou nos acompanhar no caminho pra escola, mas depois voltamos a ir sozinhos novamente. Vimos o homem mais algumas vezes, mas ele sempre abaixava a cabeça quando passávamos.

Quando eu tinha onze anos, duas situações semelhantes aconteceram. Uma vez foi num ônibus intermunicipal, quando estava indo a São Vicente com minha mãe. O ônibus estava cheio, nós estávamos em pé e um homem se aproximou de mim. Eu era pequena ainda, mas brincava de tentar segurar na parte alta do suporte. Meus seios estavam crescendo, eu usava uma blusa um pouco cavada e não entendia por que o homem, toda vez que eu erguia os braços e ficava na ponta dos pés, inclinava a cabeça em direção ao meu corpo. Eu me lembro dessa cena como se fosse hoje. Na minha inocência de criança, não entendia. Ao ver tudo, minha mãe se colocou entre nós dois e o homem se afastou.

A outra foi quando comecei a andar de ônibus sozinha. Minha mãe me colocou numa escola de inglês um pouco distante de casa, e ela não tinha como me levar e buscar sempre, então me ensinou a ir por conta própria. Não era muito difícil, o ponto ficava quase em frente ao prédio onde morávamos. Um dia, enquanto eu esperava o ônibus, um homem passou de bicicleta me olhando. Um pouco mais adiante, ele parou e me ofereceu carona. Ele acenava com a cabeça e apontava para o cano da bicicleta, dizendo para eu subir ali. Eu neguei, mas ele ficou insistindo, dizendo: "Vem cá, eu te levo". Eu lembrava da voz contundente do meu pai e negava. Como estava muito perto de casa, não senti medo, então quando o ameacei dizendo que chamaria meu pai, ele foi embora.

Tempos depois, na saída da escola, enquanto eu esperava meus irmãos, um daqueles homens que são tidos como "os loucos da rua" simplesmente apareceu e me deu um chute. Todo mundo que estava no pátio viu. O homem, claro, fugiu, mas contamos à coordenadora da escola. A ronda escolar veio, e eu, meus irmãos e outras crianças e adolescentes relatamos o que aconteceu, mas não havia nenhum adulto por perto. O policial, então, disse que era pra eu entrar no carro com ele e começou a dar voltas sozinho comigo pelo bairro para ver se eu reconhecia o homem pelo caminho. Rodamos por algum tempo, mas não achamos ninguém. Quando ele me levou de volta pra escola, meu irmão ficou aliviado — sabia da punição caso chegasse sem mim em casa.

Eu reprimi essas experiências por muito tempo. Somente quando adulta fui perceber quão graves essas situações foram. Quando criança, eu entendia que era diferente dos meus irmãos por ser menina. Era só eles ameaçarem bater em quem os xingava que as ofensas terminavam. Já Dara e eu, por mais que respondêssemos, não podíamos fazer as mesmas coisas que os meninos, nossos pais não deixavam. Me enfurecia ter que ajudar minha mãe a fazer a faxina de fim de ano enquanto ouvia os gritos felizes dos meus irmãos brincado na rua. Eu achava injusto ter que ajudar minha mãe a cozinhar e limpar a casa enquanto a função de um dos meus irmãos era só colocar o lixo na rua. Desde criança, eu percebia que existiam diferenças de tratamento e, como sempre fui questionadora, me rebelava.

Na época, porém, eu ainda não entendia que eram essas mesmas diferenças, presentes não só na minha casa mas em todo o lugar que eu ia, que causavam os episódios horríveis de assédio que eu tinha sofrido. Somente depois de muito tempo eu entendi que o que o afilhado da minha mãe havia feito comigo só não foi mais grave porque ele também era uma criança e não sabia como "fazer" sexo. Claro que isso não deixa de ser violência, mas foi o que ele disse anos depois para minha mãe: "Foi coisa de criança".

Aquele caso, porém, só não foi mais grave porque meus pais tomaram as providências necessárias e me protegeram, acreditaram em mim e tiraram o afilhado da minha mãe de dentro de casa. Somente adulta eu fui entender que o homem no ônibus tentava olhar por dentro da minha blusa para ver os seios de uma criança em crescimento. Que eu poderia não estar aqui ou carregar um trauma se tivesse ido para trás do posto com o frentista na promessa de ganhar uma boneca ou se tivesse aceitado a carona do homem da bicicleta.

Recentemente, quando estava numa balsa a caminho do Guarujá, me dei conta que o policial da ronda escolar não poderia ter me colocado na viatura, uma vez que eu era menor de idade. Esse episódio me veio à memória enquanto eu olhava o mar, e tenho certeza de que, naquele dia, fui protegida por Iemanjá. Eu vi o policial dirigindo o carro enquanto eu estava sentada no banco do passageiro, mas eu também vi que no banco de trás havia uma presença, minha proteção.

Vó, te contando disso me lembrei das vezes em que minha mãe me levou ao terreiro. Fui iniciada aos oito anos como filha de Iemanjá, apesar de ser filha de Oxóssi. O pai de santo, preso às ideias do colonialismo, justificou dizendo que menina que tem orixá homem precisa colocar um orixá feminino na frente para "não virar lésbica". Foi apenas muitos anos depois, ao encontrar um lugar mais sério, que descobri ser, na verdade, filha de Oxóssi com Iansã, mas que pelo fato de ter cultuado Iemanjá por muito tempo, ela era uma mãe que haviam escolhido para mim e que eu deveria seguir cultuando-a — até porque ela é considerada a mãe de todas as cabeças. E foi justamente enquanto eu atravessava o mar de Iemanjá que aquela memória me veio. Há um itan que conta que Iemanjá foi violentada. Imediatamente lembrei de você, vó. Das vezes em que me benzeu, me ajudou a cultuar Iemanjá, enterrou seus feitiços de proteção no quintal de sua casa, invocou as Grandes Mães para que me protegessem.

Naquela balsa, já adulta, eu senti que se não fosse por você e minha mãe, eu poderia não estar aqui. Assim como há mulheres que dizem que Ogum são os maridos delas, vocês invocaram as mães que eu precisava quando vocês não estavam por perto. A força de minha mãe, que ela aprendeu com você, me protegeu: afugentou tarados em ônibus, pôs pra correr abusadores que ficavam à espreita em postos de gasolina, não sentiu pena de afilhados. E eu nem precisei explicar, bastou um aceno de cabeça para ela acreditar em mim. Não houve "tem certeza, filha?". Foi um aceno de cabeça enquanto eu tomava banho e esfregava minhas costas para ela afastar pra longe o perigo. A força dos olhares cúmplices.

Essa diferença criou um mundo no qual eu sabia que juntas as mulheres poderiam se fortalecer, um mundo no qual eu aprendi a admirar e amar mulheres, um mundo que me abriu os caminhos para ser feminista. Minha mãe jamais permitiu que homem algum tocasse suas filhas. E, na sua ausência, enviou as Grandes Mães para espantarem qualquer um que estivesse mal-intencionado. Você, que nunca soube o que era feminismo, minha mãe, que nunca soube o que era feminismo, me ensinaram a importância de me defender.

Vó, hoje eu entendo que, na sua casa, poder dormir

somente com você também era uma forma de me proteger. Os conselhos insistentes para não sentar no colo de homem algum, mesmo sendo da família, também. Eu não entendia por que não podia demonstrar muito afeto pelos meus tios, primos, qualquer homem que fosse, mas hoje eu entendo. Você tinha medo, e acreditava que me tirar de perto era a única forma de proteção. Isso também era ensinar o que era a vida para uma menina negra.

Para além das dores, minha adolescência foi marcada por dois eventos que mudaram definitivamente a minha relação com a minha mãe. O primeiro foi quando eu tinha catorze anos, meses depois de você morrer, vó. Os sobrinhos do meu pai, Carlos e Cecília, perderam a mãe, minha tia Ana, e, como o pai deles havia falecido havia muitos anos, ficaram órfãos. Eles moravam em Limeira, no interior de São Paulo, e meu pai decidiu que seria melhor trazê-los para morar com a gente em Santos. Você imagina: o apartamento de dois quartos que mal dava para comportar a gente precisou receber mais duas pessoas.

Meus irmãos e eu aceitamos bem porque fomos criados sabendo o quão importante é apoiar a família. Pra minha mãe, porém, não foi fácil, pois enquanto o meu pai bancava o herói para a comunidade, era ela quem precisava cuidar de todo mundo. Sobrecarregada, ficava ainda mais mal-

-humorada quando meu pai passava a imagem do bonzinho incompreendido e a colocava no lugar da amargurada. Como eu o idolatrava, era a sua caçulinha, por muitos anos eu achei que ele era o bom e ela, a má, aquela que batia e brigava (meu pai jamais me deu uma surra). Ele era uma espécie de refúgio, para quem corríamos para evitar uns tapas. Mas essa era apenas uma saída temporária: era só ele sair para trabalhar que minha mãe terminava o que havia sido impedida de começar.

Meu pai era o cara legal que levava a gente à praia, para pescar, ao cinema, ao teatro. O homem inteligente que parecia uma enciclopédia humana, sabia quem eram as personalidades que deram nome às ruas que passávamos, entendia de política, filosofia e literatura, era filiado ao Partido Comunista, aprendeu a jogar xadrez vendo a gente nas aulas. Era capaz de interromper o samba numa festa para exibir a medalha que eu havia ganhado no campeonato santista de xadrez ou os diplomas de melhor aluna confeccionados pela escola. Reunia a gente em volta dele para ler, contar piadas.

Sabia o dia em que recebíamos o boletim e dava sermões de horas caso algum de nós tivesse tirado nota vermelha; deixava de castigo quem ficasse de recuperação; tomava a tabuada e, caso hesitássemos na resposta, nos mandava estudar. E enquanto estudávamos na frente dele, ele ainda nos punia fazendo-nos ouvir os gritos de alegria dos vizinhos brincando na rua. Mas ele estava nos oferecendo oportunidades que jamais teve. Fui a única a concluir o curso de inglês porque nunca repeti. Quem repetia, não recebia uma segunda chance: "Eu sou estivador, carrego sacas de açúcar nas costas. Se vocês não valorizam as oportunidades, terão que pagar vocês mesmos". E não tinha conversa.

Ele falava errado "jaguaritica" só pra gente dar risada, e não importava quantas centenas de vezes ele repetisse, sempre era engraçado. Quando nos dava dinheiro para ir à bomboniere do seu Agenor, ele dizia "Vão lá no seu Antenor comprar sorvete e doces" e a gente chorava de rir. As piadas dele davam mais sabor aos picolés de chocolate e aos chicletes de tutti frutti que a gente tanto gostava. Mas sempre reclamava quando voltávamos com os salgadinhos de "isopor", como ele chamava.

Mas não era meu pai quem separava as brigas, quem ia dormir pensando no que cozinhar para sete pessoas no dia seguinte, quem lavava as roupas e tinha que esfregá-las à mão quando a máquina de lavar quebrava. Era minha mãe quem precisava ir às reuniões de escola, quem cobrava para que fizéssemos as tarefas de casa e quem tinha que disputar com meia dúzia de adolescentes o único banheiro da casa, onde costumava fumar vagarosamente seu cigarro numa horinha de descanso. Era fácil para meu pai posar de bem-resolvido na vida conjugal. Minha mãe era quem ficava sobrecarregada com os cuidados conosco — e quando ela gritava com a gente ele a chamava de louca. Hoje percebo a injustiça e o viés machista dessa divisão de papéis.

Mas, quando eu tinha catorze anos, meu pai era a figura que me tirava da rotina, da mesmice, dos berros de "Vai lavar a louça" e das surras de cinto. Ele nos levava para o clube, para a natação, mesmo nos dias de inverno, não se importava com o frio que fazia. Nossas vidas eram cheias de altos e baixos. Ao mesmo tempo em que morávamos em um apartamento pequeno, éramos sócios de um grande clube na cidade; não tínhamos carro, mas eu estudava inglês numa das maiores escolas da cidade. Meu pai queria que a gente tivesse acesso ao que poderia nos cultivar intelectual e socialmente, e não ao que nos faria ser meros consumidores. Quando almoçávamos no clube, após passar o dia na piscina, parávamos o restaurante com a nossa presença de uma família preta. As famílias brancas iam embora de carro e passavam pela gente no ponto de ônibus.

Minha mãe quase não ia ao clube ou à praia com a gente, o que frustrava meu pai. Algumas vezes ele até disse que ela era "sem cultura" por isso. Mas a verdade era que minha mãe queria aproveitar o máximo possível da sua rara solidão, assistir à novela na única televisão da casa sem gritos de filhos e sobrinhos para atrapalhar. Ela devia amar quando meu pai nos acordava às cinco da manhã para pescar na vila em que ele morou no Guarujá antes de eu nascer.

Com o tempo, percebi que meu pai não era a pessoa que sentia falta de quem limpava a casa: ele sentia falta da casa limpa. O "sua mãe é louca" foi me incomodando e parando de fazer sentido. Dona Erani era extremamente rígida comigo e minha irmã porque, como você sabe, parte da família de Piracicaba dizia que, por morarmos numa cidade maior e de praia, Dara e eu seríamos desajustadas — leia-se: "promíscuas".

Essa fofoca se tornou uma ameaça que pairava sobre a cabeça da minha mãe. Receosa do que poderia acontecer, ela não nos deixava respirar sem que ela soubesse onde estávamos ou sem que meus irmãos estivessem com a gente. Meu pai dizia que ela exagerava e, claro, concordávamos com ele. Até que eu passei a observar melhor as coisas.

Não sei se teve relação com seu falecimento, vó, mas eu soube dessas fofocas de Piracicaba pela minha própria mãe, que, em um raro momento de humanidade, se mostrou frágil e me contou seus temores. Não que os parentes fofoqueiros fossem más pessoas: eles simplesmente não conheciam o que era uma vida fora de certos parâmetros. Todas as gerações anteriores a eles tampouco. E sair daquela cidade de interior para enfrentar a vida em São Paulo soava como afronta. Minha mãe era vista como bem-sucedida por morar em apartamento próprio, por ter um marido trabalhador. Nossa vida era simples mas, para quem olhava a partir de uma perspectiva de escassez, era uma vida boa.

Um tempo depois dessa confissão, os meios-irmãos dos meus primos vieram visitá-los em nossa casa. Meus pais os receberam bem, como faziam com todas as visitas, e lembro que em dado momento minha irmã e eu dissemos que entendíamos minha mãe por ela ser rígida, que era compreensível ela ter medo do julgamento da família, afinal, tinha sido uma das poucas a ter coragem de sair de casa.

Sua filha saiu da sua casa aos dezoito anos por não aguentar tanta repressão, vó. Morou em casa de família em São Paulo até conhecer meu pai e casar com ele em Santos, onde ele vivia. Era ousadia demais para uma mulher do interior nascida em 1950. E como ela não havia se "perdido", a maldição foi jogada nas filhas. Ela precisava garantir que minha irmã e eu daríamos "certo", ou seja, não ficaríamos grávidas na adolescência. Nem que para isso ela precisasse ser a mulher mais dura possível, que não permitia nem que as filhas fossem à praia sozinhas.

Quando falamos na frente das visitas que nós a entendíamos, lembro como se fosse hoje da emoção que ela tentou disfarçar. A partir daquele dia, nossa relação foi mudando. Dona Erani foi ficando mais suave, sem perder a brabeza. Era quase intuitivo absolvê-la em vida de tantas violências que ela aguentou calada. Demorei a entender, mas minha mãe foi um espírito livre enjaulado. Até o desejo dela de jogar basquete na adolescência foi proibido, porque os parentes acreditavam que esse era um esporte para lésbicas, e as meninas da família não podiam cometer esse "pecado". O dia que ela me contou desse sonho não realizado, a tristeza em seus olhos brotou. De alguma forma, ter se mudado para a capital mostrou o quão corajosa ela foi. Ter enfrentado um patrão, ameaçando jogar óleo quente nele para que parasse de assediá-la, é típico da ousadia que herdei dela. Minha mãe teve suas asas cortadas por muitas tesouras, e dizer a ela que a compreendíamos foi como fazer um pedaço se colar.

O segundo evento que mudou nossa relação aconteceu quando eu tinha dezesseis anos. Lembro como se fosse hoje: eu, magrinha, de top e bermuda vermelha, emburrada varrendo a casa. Comecei pela sala, passei pelo nosso quarto, o corredor e cheguei até o quarto dos meus pais. Eu me distraía facilmente quando realizava uma tarefa chata. Sentei na cama da minha mãe por um tempo para fazer algo que ela detestava: cumprir minhas tarefas sentada. Fiquei lá, sentada, passando a vassoura no tapete ao lado da cama e pensando "na morte da bezerra", como ela gostava de dizer. Acabei me distraindo e não percebi quando ela entrou. Levantei rapidamente, no susto, já esperando um puxão de orelha, mas ela me disse pra sentar. Fiquei sem entender, achei que ela estivesse inventando outra modalidade de bronca, mas obedeci, claro. Ela começou a dizer o quanto sempre me amou, me desejou, o quanto eu era o bebê dela, algo que ela dizia por eu ser a mais nova. Segui sem entender, mas estava gostando de ver aquela demonstração espontânea de amor. Num dado momento, sua voz ficou séria e ela disse:

"Quando eu engravidei de você, seus irmãos eram todos bebês, sua irmã tinha meses ainda. Eu fiquei desesperada, como ia ser cuidar de quatro filhos numa casa que quando chovia até cobra entrava? Como seria se seu pai não conseguisse o registro de estivador, a *tão sonhada* carteira preta? Passaríamos necessidade? Eu tive muito medo e resolvi procurar um curandeiro da vila, que oferecia chás abortivos e simpatias pra que a gente interrompesse a gravidez. Ele disse que era pra eu tomar um chá, segurar uma chave e fazer uma reza. Eu fui para casa, fiz o que ele mandou e nada. Fiquei preocupada e voltei lá. Ele me disse que eu não deveria ter segurado a chave com força ou que não tinha rezado com fé. Voltei para casa, fiz novamente o que ele mandou e nada. Você estava lá dentro dizendo: 'Não saio, não saio, não saio'."

Ela então deu um sorrisinho sem graça para quebrar a tensão. Eu segui em silêncio e ela prosseguiu.

"Filha, passei sua gravidez toda com medo, não ia me perdoar se você nascesse com algum problema que eu poderia ter causado. E eu não pude dividir isso com ninguém, porque sabia que as pessoas me condenariam. Quando você nasceu, havia uma lua cheia linda em São Paulo. Eu havia ido *à capital* para visitar sua tia e você antecipou sua chegada. Nasceu em São Paulo, às 18h de uma sexta-feira. Assim que te peguei no colo, comecei a apalpar seu corpo pra ver se tinha alguma coisa errada, contei os dedinhos das mãos e dos pés e fiquei tão aliviada em ver que você era saudável. E agora está aí, essa moça desse tamanho! Entendo se você ficar com raiva. Eu te peço perdão, filha."

Eu lembro de ter escutado tudo muito atentamente, e confesso que foi uma alegria ver a minha mãe sendo a Erani. Ela nunca havia falado comigo daquela maneira, mas, talvez lembrando daquela conversa que tivemos anos antes, ela se sentiu segura para me contar algo que a assombrava havia dezesseis anos. Ela tinha pressa.

Não senti raiva, mágoa, nada. Os segundos que antecederam a quebra do meu silêncio devem ter sido assustadores. Com calma, respondi que o importante era que ela me amava, que eu entendia, que devia ter sido difícil engravidar de mais uma criança quando meu pai passava a maior parte do tempo trabalhando. Que estava absolutamente tudo bem.

Vó, confesso que na hora passou pela minha cabeça fingir tristeza, para ser colocada num lugar de "coitada da mãe", mas a ideia não foi forte o suficiente para superar o amor que eu sentia por ela. Foi uma das conversas mais importantes da minha vida. Após esse episódio, nossa relação se transformou.

Meses depois, ela descobriu um tumor no rim, do tamanho de uma laranja. A equipe médica a desacreditou e foi um momento de muita apreensão. Desafiando todas as probabilidades, ela sobreviveu à grave cirurgia, fez quimio e radioterapia, passou um período difícil sendo cuidada por nós em casa, mas milagrosamente se recuperou. Precisou ser internada algumas vezes por conta da diabetes — era teimosa, nada a impedia de comer os quindins de que tanto gostava —, mas fico feliz em dizer que ela teve alguns anos de alegria.

Minha mãe passou a ser minha amiga também. Começamos a sair juntas. Apresentei a ela os prazeres da culinária japonesa, passei a convidá-la a ir comigo ver uma amiga cantora se apresentar em shoppings ou eventos na praia. Quando algum garoto bonito passava, ela perguntava: "Não viu o garoto bonito te olhando, não?". Era engraçado ver minha mãe me enxergando como uma adolescente.

Nossos últimos anos foram incríveis, apesar da doença dela. Viajou com amigas, foi a festas comigo. Ficávamos em casa juntas, conversando, nos conhecendo como Erani e Djamila. Era como se minha mãe tivesse entendido que eu tinha maturidade para tomar decisões, que ela não precisava mais se preocupar comigo a ponto de me proibir de sair. Talvez a minha compreensão a tenha feito entender que sua missão comigo estava cumprida, que teria valido a pena todos os anos de rigidez, que ela poderia morrer em paz, então seria importante desfrutarmos da companhia uma da outra como amigas, por prazer e não por obrigação.

Aos dezenove anos, me apaixonei perdidamente por um rapaz que conheci no trabalho, vó, e ela foi uma das primeiras pessoas a saber. No dia que ele foi me buscar em casa para irmos ao cinema, ela o recebeu com alegria. Ficou, aliás, mais apaixonada por ele do que eu, sobretudo quando soube que ele era messiânico e havia se oferecido para ministrar nela o johrei, um tipo de passe daquela religião. Ela não se opôs quando eu, por influência dele, passei a frequentar a igreja messiânica, e me perguntava sempre quando o veria de novo — coisa que eu quase não respondia, porque não queria dizer que a família dele, descendente de japoneses, se opunha ao nosso relacionamento.

Mas eu realmente me apaixonei por esse rapaz, pois foi o primeiro a me tratar com respeito e delicadeza. Ele era espiritualizado e havia me ensinado muitas coisas, gostava de apreciar a natureza, era profundo e inteligente. Ele sempre me levava em casa depois de um passeio, trocávamos cartas e conversávamos por horas no telefone (mas claro, vó, havia dias em que a conversa era chata, ninguém é adorável o tempo todo). Foi muito marcante para aquele momento da minha vida. Para além da oposição dos pais dele, o fim se deu por certa arrogância: um dia, revelou que havia aparecido na minha vida para me libertar. Ele acreditava que era espiritualmente superior, falava em coisas de vidas passadas, que poderia ser a ponte para minha iluminação. Estava sempre querendo me dizer o que fazer, me moldando pra ser algo.

Por mais que o considerasse muito, me senti incomodada. Não foi uma separação súbita, mas com o tempo fomos nos distanciando. Percebi que ele ficava sem graça com quase tudo, até para se divertir. Numa balada, tinha vergonha de dançar e os outros rirem. Em um show, aplaudia comedidamente por vergonha de se expor e não gritava para não ser repreendido. Em um evento público, não gostava de falar e nem de fazer perguntas. Ele sentia muita vergonha de si mesmo. Por mais que eu achasse bobo da parte dele, poderia aceitar, ele era assim. O problema foi ele sentir vergonha de mim quando eu fazia alguma dessas coisas.

Ele era aquele tipo que dizia "não tenho dificuldade" em vez de dizer "tenho facilidade". E isso muda tudo. Ele não entendia que existiam outras concepções de felicidade. Na verdade, ele não sabia que felicidade é algo que se concebe. Ele provavelmente não subiu no pé de manga no quintal da casa da avó, não alimentou beija-flores. Devia achar manga verde ruim ou imprópria para o consumo, quando manga verde com sal, saboreada em frente à casa da avó, foi uma das coisas mais gostosas da minha infância. Hoje vejo que ele foi apenas um episódio pontual em minha vida. O desejo da liberdade era meu, sempre foi meu. Minha liberdade não era contingente.

Nessa época, vó, minha mãe estava enfrentando o câncer pela segunda vez. Foi também quando meu pai se divorciou dela. Por mais que a relação já não estivesse bem há muitos anos e as brigas pelas traições do meu pai fossem constantes, ela o amava, com ressentimento, mas amava. Nos últimos anos do casamento, ela sempre se referia a ele com raiva, agressividade. Depois virou indiferença, como uma música que emocionava anos atrás, mas agora não diz mais nada. De tanto lhe pedirem, a indignação virou apatia. De tanto pedirem calma, minha mãe ficou indiferente aos problemas do mundo e cultivou a paz morna de uma tarde de domingo.

Mudar a forma como a dor se manifesta não muda o que ela causa. Glamourizam-na, romantizam-na. Essa ilusão constrói a imagem de uma dor nobre, altiva, mas é somente um modo de nos obrigar a vivê-la, sem questioná-la.

"Homem é assim mesmo, não há o que fazer", e a dor é naturalizada.

Claro que meu pai se vitimizava, mas comigo não funcionava. Era fácil julgar quem estava sempre com raiva. Difícil era se compadecer, tentar descobrir os motivos da raiva. E minha mãe aguentou muita coisa. Ela me contou que tentou se separar do meu pai quando eu era bebê. Sem ele saber, ela viajou até Piracicaba para lhe pedir abrigo, vó, você deve se lembrar. Você a recebeu, mas não a deixou ficar, dizendo: "Erani, o que você vai fazer sozinha com quatro crianças? Como vai sustentá-las? Ruim com ele, pior sem ele". E sem escolhas ela voltou para aquele casamento e fez o melhor que podia.

Quando nós tivemos essa conversa, ela me disse com certa mágoa que achava que você deveria tê-la amparado. Você fez o que sabia, argumentei. No final das contas, apesar de tudo, meu pai havia sido um bom pai, e ela uma boa mãe. Pra além disso, como você iria dar conta de mais cinco pessoas na sua casa? Passamos a vida culpando as mulheres que nos criam, assim como muitas vezes culpei minha mãe, sem olhar para quem nos tira o chão, a casa, as oportunidades. Acabamos sempre onerando outras mulheres pela falta de escolhas que nos é imposta. São sempre elas que precisam abrir mão do pouco que têm para alimentar toda a aldeia.

Tentar fazer minha mãe lhe perdoar era romper com o espelho de imagens distorcidas. Não estou dizendo que você não cometeu erros, vó. Estou dizendo que minha mãe não culpou meu avô, seu marido, que ainda era vivo quando ela quis se separar do meu pai. Antes de fazer uma aliança entre nós, mulheres, a gente aprende a se ressentir umas das outras, sem cogitar que os homens têm responsabilidade por suas omissões. "Já não podemos esperar nada dos homens mesmo", e nessa lógica que os isenta de responsabilidades seguimos violentando umas às outras por não suprir as faltas que não causamos. Precisei perdoar a minha mãe por achar que não fui tão protegida quanto eu achava que precisava ser. Por ter sido criada de forma tão autoritária. Durante anos, eu a culpei por muita coisa na terapia.

Aqui eu quero cortar as correntes que nos unem pela culpa. Cada uma fez o que sabia fazer. Cada uma fez o que foi possível. Como escrevi numa carta póstuma à minha mãe, publicada em meu livro *Quem tem medo do feminismo negro?*, não há o que perdoar, o Estado sabe muito bem o que faz.

Vó, a assinatura do divórcio machucou demais minha mãe, que ainda estava em tratamento. Tão logo a separação foi oficializada, meu pai começou a namorar uma mulher loira, e isso a feriu ainda mais. Ele passou a contribuir pouco em casa e eu fui trabalhar. Desde os catorze anos, eu dava aulas de reforço de inglês e português para crianças mais novas, mas dessa vez precisaria ter um salário. Uma vizinha estava abrindo uma barraca de pastel no Canal 2 e eu me ofereci para trabalhar com ela. Minha mãe foi contra, dizia que eu tinha estudado muito e deveria procurar outro emprego. Meu pai tentou me fazer desistir, dizendo que era vergonhoso pra ele ver sua filha prodígio fritando pastel numa barraca na esquina da avenida Bernardino de Campos. Mas se ele não tivesse deixado a minha mãe, vó, eu não precisaria aceitar aquele trabalho — nem ficar me escondendo toda vez que algum colega do meu curso de inglês passava pela barraca. Mas não havia outra possibilidade: a necessidade batia à porta.

    Um ano depois, passei na faculdade de jornalismo. Meu pai ficou decepcionado por ser uma instituição particular, enquanto minha mãe contou para toda a vizinhança e fez um empréstimo com as amigas para que eu conseguisse pagar a matrícula. Também pediu um emprego pra mim para uma outra amiga, que era gerente numa empresa de engenharia. A tal amiga me ofereceu uma vaga de ajudante de serviços gerais, mesmo eu estando na faculdade e sabendo falar inglês. Dona Erani foi contra, não queria que eu tivesse o mesmo destino que ela, de "lavar privada para brancos". Eu, por outro lado, só pensava em estudar, então aceitei.

    Nunca fui muito habilidosa com serviços de limpeza, mas conseguia enganar bem. O único senão era chegar na faculdade cheirando a água sanitária. Meu pai parou de falar comigo, mas não se indispôs com a amiga que me arrumou aquele emprego, neta de um companheiro de luta dele. Minha vida seguia dividida: se antes a menina que compartilhava um quarto com os três irmãos estudava inglês numa das melhores escolas da cidade, agora eu era a garota que falava inglês e fazia faculdade limpando a empresa e servindo café.

Na última internação de minha mãe, Dara, eu e minha prima Cecília nos revezávamos para cuidar dela. Fico feliz em dizer que ela não esteve só, mas veja como nós mulheres que sempre cuidamos umas das outras, vó.

Havia alguma conexão muito forte entre minha mãe e eu. Mesmo conseguindo visitá-la apenas aos finais de semana por conta do trabalho e do estudo, foi pra mim que o médico disse que lhe restavam somente mais alguns meses de vida. Saí da sala dele chorando e abatida. Precisei me recompor antes de voltar ao quarto e fingir que estava tudo bem — tomei a decisão de não contar a ela e tornar seus últimos dias os melhores possíveis. "Eu vou morrer, né?", ela me perguntou assim que me viu. "Para de bobeira, mãe!", consegui responder. Quando ela adormeceu, chorei em silêncio.

Voltei para casa, contei aos meus irmãos e liguei para o

meu pai, que ficou sem reação. Toda vez que eu ia render Dara ou minha prima, minha mãe falava do meu pai pra mim, dizia que ele ainda não havia ido visitá-la, mas que tudo bem, ela não se importava. Claro que se importava. Os dias passavam, as semanas, e nem sinal dele. Um dia, após uma reclamação disfarçada dela, liguei pra ele. Estava na hora de assumir suas responsabilidades.

À época, ele ainda morava sozinho em um pequeno apartamento em frente à praia — tempos depois foi morar com a mulher loira. Assim que atendeu, gritei: "O senhor não tem vergonha na cara? Minha mãe foi sua esposa por mais de vinte anos, vocês tiveram quatro filhos juntos, construíram uma vida! É um verdadeiro absurdo que, em nome de tudo isso e do que o senhor fez ela passar, ainda não a tenha visitado. Ela vai morrer, sabia? E vai morrer carregando todo esse peso, toda essa mágoa, porque o senhor é covarde a ponto de não encarar as merdas que fez e faz! Amanhã é segunda-feira e o senhor vai lá visitá-la, está escutando? Se ela morrer antes de o senhor ir lá, nunca mais fale comigo!". E bati o telefone na cara dele. Vó, era tanta raiva na minha voz que meu pai não conseguiu falar nada, nem sequer balbuciou, só escutou. Soube que Denis também teve uma conversa parecida com ele.

A semana passou, eu trabalhava o dia todo e estudava à noite. Um dia, assim que cheguei em casa, meu pai me ligou para dizer que havia visitado minha mãe e perguntou quando podíamos nos encontrar. Senti um misto de alívio e alegria. No sábado, assim que eu cheguei ao hospital para ficar com a minha mãe, notei que ela me aguardava com certa ansiedade. Quando sentei ao seu lado, ela prontamente disse com uma voz que mostrava contentamento:

"Sabe quem veio me visitar durante a semana?"

"Não", menti, "quem?"

"Seu pai, acredita?"

"Que bom, mãe, como foi?"

"Ele chegou um pouco tímido, começamos falando banalidades. Conversa vai, conversa vem, deu a hora de ele ir. Peguei, então, a mão dele, coloquei no meu coração e disse em pensamento: 'Joaquim, eu te perdoo por tudo que me fizeste, assim como eu também te peço perdão por tudo que lhe fiz'. Sabe, filha, seu pai errou muito comigo, mas a gente também erra."

No dia seguinte, ela morreu. E por mais que estivesse sendo duro lidar com a morte — vi o corpo da minha mãe embalado para seguir para o necrotério, precisei lidar com toda a burocracia ao mesmo tempo em que lidava com o luto —, foi libertador saber que ela não carregou pesos de uma vida toda. Foi libertador ter incluído meu pai na conversa, rompendo esse ciclo de somente nós termos que perdoar a nós mesmas.

Não chegou a passar um ano e meu pai caiu doente. Eu estava sem falar com ele porque meus irmãos e eu queríamos que ele voltasse a morar lá em casa, ou ao menos passasse um tempo com a gente durante o luto, mas ele não quis, foi viver com a namorada. Ele estava disposto a seguir com a vida dele. Um dia o telefone tocou: era a namorada avisando que meu pai tinha sido internado. Ela estava apavorada, dizendo que não conseguia cuidar dele sozinha e que precisava de ajuda. Ouvi tudo com impaciência, pensando que minha mãe nunca sairia do lado dele.

"Ele é meu pai, não precisa insistir. Jamais o deixaria sozinho em um momento como esse."

Vó, a partir daquela ligação fiquei com ele até o último dia. Se minha mãe o havia perdoado, quem era eu para não perdoar? Erani quebrou um ciclo de dores e mágoas, um ciclo que não precisei herdar.

Cuidar do meu pai no hospital foi muito difícil e solitário, vó. Não falo muito sobre isso, mas penso que dividir com você será libertador. Ver uma pessoa cheia de vitalidade definhar foi um processo muito duro. Eu não estava trabalhando, cuidava dele doze horas por dia, das 7h às 19h, até ser rendida pelo meu irmão mais velho, Denis, que passava a noite ao lado dele. Meu pai teve um tipo raro de câncer na medula e seus ossos foram sendo esfacelados aos poucos. No primeiro mês de internação, eu precisava colocá-lo com muito cuidado na cadeira de rodas para levá-lo ao banheiro, algo que poderia demorar quase uma hora, tamanha a dor que ele sentia. Ele fazia suas necessidades, e depois eu dava banho nele. As primeiras vezes foram especialmente duras, ele se sentia envergonhado, chegou a verbalizar o quanto se sentia desconfortável. "Pai, deixa de graça, o senhor já me deu muitos banhos nessa vida", respondi para quebrar o clima.

Com o tempo, ele foi ficando mais confortável e até agradecia por ser eu, uma filha, e não uma pessoa estranha. Porém, com o avanço da doença, não conseguia mais ficar sentado. Usar fraldas foi outro soco em sua humanidade. Mas ele não perdeu a vaidade, todas as sextas-feiras fazia a barba e raspava o pouco cabelo com o barbeiro do hospital. Eu não podia dizer o nome da doença para qualquer pessoa. "Se perguntarem o que eu tenho, diga que é anemia profunda e não aquela doença lá." Ele não conseguia nem dizer a si mesmo.

Meu pai ficou muitos meses internado em um quarto duplo, que nesse período ele dividiu com pacientes que chegavam e partiam. Ele recebia algumas visitas, mas era um lugar muito solitário. Ter outro ocupante no quarto era uma forma de companhia também. Dois em especial me marcaram. O primeiro, um policial militar, tinha sido meu colega de escola, daqueles que me xingavam e perseguiam. Havia passado mal durante o trabalho e fora levado às pressas para o hospital.

Assim que começaram a arrumar a cama ao lado do meu pai, eu precisei sair do quarto, para preservar a privacidade do paciente que estava chegando. Passado um tempo, fui autorizada a voltar e logo de primeira o reconheci. Como havia sido uma internação repentina, ele ainda estava sem acompanhante. Em dado momento, ele tocou a campainha para chamar os auxiliares de enfermagem, pois precisava urinar. Ele estava com muita dor, não conseguia se levantar e precisava do "compadre". Ninguém apareceu. Sussurrei no ouvido do meu pai que eu até poderia ajudá-lo se ele não tivesse sido um dos meus terrores na escola. Ele sentiu pena do rapaz e me pediu para dar um desconto. Eu me aproximei e perguntei:

"Você precisa de ajuda?"

"Desculpe te incomodar com isso, mas preciso urinar."

Eu busquei o recipiente, dei a ele e virei de costas. Assim que ele terminou, ele me chamou. Quando me reaproximei, continuei:

"Você lembra de mim?"

"Não, acho que não..."

"Djamila, 5º A, Colégio Moderno. Lembrou?"

O rosto do rapaz empalideceu e ele só conseguiu responder um "sim" tímido. Antes que eu pudesse dizer qualquer coisa, ouvi do meu pai um "Djamila, tenha misericórdia". Não disse mais nada, ajudei o rapaz até um familiar chegar e até o último dia da sua internação, ele tentou ser o mais agradável possível com um seu Joaquim atento a todos os meus passos.

O segundo rapaz ficou por volta de dois meses internado. Ele havia tomado um tiro da polícia, de uma arma de grosso calibre, em sua perna esquerda. Denis me contou que, como o homem era dependente químico, ele passava noites seguidas tendo crises de abstinência, gritando por horas e tentando arrancar as agulhas das veias para interromper a medicação. Todos os pacientes do corredor passaram a fazer reclamações, menos o senhor com quem ele dividia o quarto.

No começo, eu fiquei um pouco assustada, mas com o tempo fui me acostumando e entendendo. Meu pai adquiriu um senso de proteção com o rapaz. Quando ele estava melhor, seu Joaquim passou a puxar conversa. Durante as crises, meu pai tentava acalmá-lo. Um dia o rapaz pediu um refrigerante e meu pai me disse para buscar um na lanchonete do hospital. Outro dia ele quis um lanche, e lá fui eu comprar. E assim eles foram se aproximando, contando sobre a vida. Eu também o auxiliava quando necessário, sob os olhares de reprovação dos acompanhantes dos outros quartos. Uma senhora me questionou se eu não achava errado ajudar bandido, que fora dali ele não hesitaria em me fazer mal. Não respondi, só desconversei.

No dia que o rapaz teve alta, meu pai sentiu um misto de alegria e tristeza, foi perceptível. O jovem chorou emocionado e nos apresentou aos familiares que haviam ido buscá-lo. Naquela noite, meu pai ficou em silêncio absoluto. Anos mais tarde, encontrei esse mesmo rapaz no centro de Santos. Ele usava muletas — por conta das sequelas causadas pelo tiro — e estava acompanhado de uma mulher. Quando me viu, logo perguntou do meu pai. Eu confirmei que ele havia falecido, e ele se emocionou, dizendo à companheira: "O pai dela foi um anjo na minha vida, ela também. Eles cuidaram de mim no hospital". Entre uma lágrima e outra, me contou que havia casado, "tomado jeito" na vida, que seria pai. "Não mexo mais com essas coisas, mas se alguém mexer contigo por aqui, pode dizer que me conhece." Nós nos despedimos e eu nunca mais o vi.

Meu pai acarinhou aquele rapaz ao não julgá-lo, ao dizer que os gritos dele não incomodavam, ao se doar a ele.

Foram raras as vezes em que presenciei dois homens demostrarem carinho e ternura um pelo outro. O comum é ver agressividade ou solidariedade de gênero, um homem apoiando o outro em detrimento de uma mulher. O rapaz tinha idade pra ser meu irmão mais velho e de alguma maneira tocou o coração de meu pai, que, àquela altura, sentia dores lancinantes. Mesmo em um momento de profunda dor, meu pai conseguiu olhar para a dor do outro. Que retribuiu afirmando que, se dependesse dele, ninguém jamais me faria mal. Meses antes de partir, seu Joaquim viu na ternura uma forma de ser eterno.

Foi um período profundamente triste, meu pai sofreu muito, mas também houve descoberta. Ali naquele hospital, vó, foi a primeira vez que o vi chorar. Mesmo com muita dor, ele não chorava. O único dia em que chorou foi quando foi fazer um exame em um andar diferente do hospital. Fui acompanhando o auxiliar de enfermagem que empurrava sua maca e, enquanto aguardávamos, meu pai fez um sinal para que eu me aproximasse. Assim que cheguei meu ouvido perto de sua boca, ele disse: "Eu estou sofrendo porque fiz sua mãe sofrer". Surpreendida por aquela ação e compadecida de sua situação, tentei desconversar e dizer que não era nada daquilo. Ele insistiu: "Não, filha, eu sei. Eu estou sofrendo porque fiz sua mãe sofrer". E chorou calado. Eu segurei o choro durante o tempo do exame e enquanto o acompanhava de volta ao quarto. Só então me tranquei no banheiro para chorar toda aquela tristeza.

O quadro dele foi se agravando a ponto de só conseguir ficar à base de morfina. Os médicos já haviam conversado comigo sobre a gravidade, que não havia cura, mas que fariam o possível para que ele pudesse ter dignidade até o fim. Mesmo assim, vó, eu não queria aceitar. Fazia apenas um ano desde a morte da minha mãe e eu não conseguia conceber ficar órfã de pai também. À época eu era espírita kardecista e todos os dias rezava a oração para salvar moribundos.

Eu me sentia esgotada emocionalmente. Era uma jovem de vinte e dois anos enfrentando muitas tristezas de uma só vez, mas todos os dias estava lá, mesmo me aborrecendo por vezes com os amigos e com a namorada dele. Com o Evangelho na mão, eu seguia firme.

Um dia um grupo de auxiliares de enfermagem me chamou para a sala onde ficavam. Uma moça me ofereceu uma xícara de chá de camomila e um homem gentil, negro, de voz doce, me disse:

"Você precisa deixar seu pai ir. Já fez tudo o que podia por ele. Trabalhamos aqui há anos e vimos muitas pessoas morrerem sozinhas, completamente abandonadas. Seu pai, não, ele teve você. Todos nós comentamos, até a equipe médica comenta da sua devoção. Mesmo tão jovem, esteve aqui dia após dia. Mas você precisa deixar ele ir."

Desabei no choro. Pela primeira vez eu podia chorar sem ninguém me pedir pra parar. E chorei todo o choro represado, o choro pela morte da minha mãe, as lágrimas barradas pelo "você precisa ser forte". Pessoas que não me conheciam me enxergaram como humana, perceberam meu sofrimento e meu pedido de socorro silencioso. Aquele choro me tirou da anestesia, do "estou bem, meu pai vai ficar bom". Hoje percebo que muita gente não me ofereceu ajuda porque realmente acreditava que eu daria conta de tudo.

Fiquei ali chorando e, entre um gole e outro de chá de camomila, entendi que precisava aceitar aquela situação. Eu tinha medo da perda, não conseguia vislumbrar uma vida sem alguém pra me orientar. Mas meu pai estava convivendo com dores agudas, já estava respirando com ajuda de aparelhos, o olhar estava perdido. "Fique aqui na nossa sala o tempo que precisar, se liberte do peso", disseram os enfermeiros. Pareciam anjos que você havia mandado em meu socorro, vó.

Eu realmente não estava sabendo lidar com tanta dor. Se não fosse pelos meus amigos, teria sucumbido. Sobretudo o Hamilton, um amigo da adolescência que cedeu a casa durante boa parte do tempo em que cuidei do meu pai no hospital. Não fossem as jantas gostosas que a mãe dele fazia, aquele feijão que lembrava o seu, tudo teria sido mais difícil. A cama que ele preparava pra eu descansar, as centenas de vezes em que assistimos *Moulin Rouge* e brigávamos porque ele cometia o pecado de dizer que Céline Dion era melhor do que Whitney Houston. Fui abraçada por aquela família como você me abraçava. Não fosse pelas noites naquela casa, na altura do centésimo degrau da escadaria do Monte Serrat, a vida teria sido mais amarga.

Assim que me acalmei, saí da sala e fui para o quarto onde meu pai estava. Abri o Evangelho Segundo o Espiritismo e fiz a oração para a pessoa que está partindo. Sabia que ele se arrependia de muita coisa, escolhas erradas, traições e abandonos. Sabia que ele ficava triste por, nos últimos anos, ter se afastado da família. Mas sabia também que, naquele momento, tudo estava resolvido.

Conversei com ele, falei o quanto o amava e o quanto era grata por ter tido ele como pai. Dei um beijo em sua testa e decidi ir embora. Eu sabia que ele partiria naquele dia e eu não queria estar lá. Na verdade, ele já estava mais inconsciente do que consciente, mas eu não queria ver. Um ano antes eu havia acompanhado o corpo da minha mãe e eu não tinha estrutura para viver a mesma coisa com meu pai.

Ele ficou com a namorada e alguns amigos no quarto. Cantei uma música do Milton Nascimento bem baixinho, o artista que ele me ensinou a amar, e saí do quarto.

Meu pai ficaria atônito se soubesse que me tornei amiga do Milton, vó, certeza de que ele se gabaria para todas as visitas. Sim, eu me tornei amiga dele e sinto que conhecer o artista que cresci ouvindo com meu pai é um modo de sempre mantê-lo vivo.

Naquela noite, quando o telefone tocou em casa, eu já sabia. Fui inundada por uma sensação de paz por saber que o sofrimento dele havia acabado. "Para quem quer se soltar, invento um cais, invento mais do que a solidão me dá. Invento o amor e sei a dor de me lançar."

Anos após a morte da minha mãe e do meu pai, me questiono se de fato minha mãe viveu o amor, mesmo no início do casamento. Não tenho condições de emitir juízo moral, nem quero, mas me ponho a refletir.

Uma vez, minha mãe me disse que saiu de uma escravidão para entrar em outra, referindo-se ao fato de ter deixado o trabalho de empregada doméstica em São Paulo para casar e se tornar dona de casa. Essa frase é de uma profundidade perturbadora.

De fato, minha mãe cozinhou, lavou e passou a vida toda. Seus dias eram trabalhar, seja cuidando da casa dos outros, seja cuidando da nossa casa. Depois de casar, em vez de cumprir as ordens do patrão, ela precisava realizar os desejos do meu pai. O feijão tinha que ser feito na hora e temperado com linguiça e toucinho, ela não podia fazer grandes quantidades e congelar. O arroz precisava estar bem soltinho e temperado somente com alho, sem cebola. As camisas precisavam estar extremamente bem passadas e alinhadas. Tudo seguia um ritmo calculado e impositivo.

Talvez seu casamento com meu avô tenha se baseado num sistema semelhante, vó. Quando meu pai precisava pegar o turno da madrugada, minha mãe acordava para servi--lo, mesmo quando estava doente, estafada ou quando não sentia a mínima vontade. Enquanto separava os pães, pegava a manteiga, talvez pensasse "eu tenho que fazer porque ele já fez muito". A sensação de gratidão imposta pela subalternidade. Aquele amor veiculado pelos programas de TV — que supostamente ajudam as pessoas pobres —, subordinado, que sempre coloca a mulher numa posição de retribuição, de agradecimento. Na primeira tentativa de libertação, porém, corre-se o risco de ser taxada de ingrata.

Sabe, vó, a dureza na sua casa fez com que minha mãe desejasse viver uma vida diferente. Foram alguns anos vivendo no quarto de empregada até aquele Carnaval em Santos, quando ela conheceu meu pai. Hoje penso se minha mãe realmente se apaixonou à primeira vista ou se ela se entregou ao primeiro olhar que se mostrou cúmplice, aos primeiros ouvidos que a escutaram, às primeiras mãos consoladoras, aos primeiros abraços que a afagaram — e chamou isso de amor. Ela realmente pode ter amado perdidamente ou pode ter sonhado com o amor. Pode ter se entregado não porque estava sentindo amor ou paixão, mas porque o cenário criado é tão inebriante que a embriagou de amor. A gente se apaixona por uma ideia de amor e a persegue a vida inteira, se frustrando por viver apenas um esboço dela. A ideia, porém, jamais nos abandona, mesmo causando dor. Será que foi isso que aconteceu, vó? Não sei, não tive tempo de saber.

Uma jovem mulher, sem a família por perto, sobrevivendo aos assédios do patrão, sentindo-se solitária, pode ter se entregado e sonhado com uma vida na qual alguém finalmente a protegeria. E aguentou tanta coisa em busca desse sonho perdido. Tinha que provar que deu certo para contradizer as más línguas.

Na maioria das vezes, o amor não é apenas sentimento, mas também ideologia. Condiciona-se o olhar, o sentir. Por que se ama a branca e não a negra? Olhares condicionados e submissos a uma ideologia, à melancólica valorização dos traços finos. É muito difícil encontrar olhares sinceros e destreinados. Foram várias as vezes em que vi minha mãe chorando por causa das traições do meu pai. Após um tempo, eu não sei se as lágrimas caíam pelo adultério em si ou pela destruição do sonho daquela moça de interior que só queria ser amada pelo homem que conheceu em um baile de Carnaval.

Mesmo sendo infeliz na vida a dois, quando o casamento terminou, minha mãe ficou extremamente triste. Eu discordei da forma como aconteceu, já que meu pai não lhe deu nenhum suporte financeiro, mas o divórcio em si não me entristeceu. Eu fiquei triste porque minha mãe havia criado uma ideia de relacionamento, acreditado na segurança do matrimônio, na sua manutenção, permanência e imutabilidade. Ela contava com meu pai para lhe trazer felicidade, vó.

Foi assim que aprendeu e viveu. Foi difícil pra ela lidar com as fofocas e ter que enfrentar a doença sem um companheiro ao lado.

Meu pai, por sua vez, idealizou uma mulher na cabeça dele e exigiu que a esposa fosse exatamente como ele queria, deixando de enxergar quem ela era de fato.

Não é necessariamente o amor que prende, vó, é o hábito. O jantar no sábado à noite para fugir do tédio, o almoço na casa da sogra no domingo, a festa do amigo da filha mais nova. Coisas...

Ela se sentia presa, incomodada, infeliz, mas preferia discutir porque o som da TV estava muito alto. Ela reclamava de um quadro milimetricamente torto, brigava porque não havia gostado do piso que meu pai escolheu quando finalmente reformou a casa. Era melhor discutir sobre o rasgo no sofá do que falar das mágoas acumuladas. Parecia que eles discutiam por motivos fúteis, mas nada é trivial quando se trata de um casamento cheio de não ditos e dores — nem chorar por um desentendimento banal e extravasar em lágrimas as frustrações de uma vida sem sentido. Nessas situações, o frívolo é a superfície de algo muito profundo.

Minha mãe era uma mulher muito inteligente. As pessoas sempre a procuravam para pedir conselhos (além de recorrerem à sua incrível habilidade de destravar as costas — ela tinha uma técnica incrível pra isso!). De uma sabedoria e generosidade sem igual, ela conquistava a todos que de fato prestavam atenção nela, sobretudo minhas amigas, para quem ela virou uma espécie de conselheira. Meu pai, claro, nunca valorizou essas qualidades, nem sequer as enxergou. Entre os amigos cultos dele do Partido Comunista, minha mãe era vista como a dona de casa, a mãe, a esposa, mesmo se esforçando para ser notada além desses lugares. Estar entre os homens que pregavam a revolução poderia significar ter de se confrontar com sua suposta falta de talento ou inteligência, na qual foi convencida a acreditar.

Parafraseando Simone de Beauvoir, as mulheres têm dificuldades de se libertar de situações opressoras porque não as veem como algo a ser transcendido ou ultrapassado, mas como fruto do destino. Ela se conformou em ficar com as pessoas que estavam habituadas a dobrar calças e passar camisas. Entre elas, minha mãe sempre seria a sábia, a grande conselheira, um talento em vias de ser descoberto, a eterna intelectual em potência. A tristeza e a invisibilidade a corroeram a ponto de ela se sentir importante se alguém lhe entregava um simples santinho de candidato na feira.

Dona Erani foi uma mulher com os pés rachados e os olhos tristes. E foram raras as vezes que alguém, em vez de olhá-la com desprezo ou desdém, perguntou qual era a história por trás daqueles olhos castanho-escuros. Certa vez, uma vizinha comentou: "Que pé horrível, Erani, todo rachado!", numa tentativa de diminuí-la ou de simplesmente gritar uma opinião não requisitada que fez minha mãe comprar todos os times de cremes e lixas. A vizinha poderia ter aceitado a feiura deles, ou até ter visto beleza, se tivesse questionado por onde aqueles pés haviam andado.

Sabe, vó, apesar de dizer que jamais me casaria, vivi uma busca romântica pelo amor. Como fui preterida na escola, sonhava com o dia em que seria desejada como minhas colegas. Na maioria das vezes, eu era aquela que fazia a ponte entre o menino e uma amiga minha. "Agita ela aí pra mim", era o que eu mais ouvia dos meninos, brancos e negros.

Eu era aquela que sempre "segurava vela". Quando adolescente, a moda era fazer o baile da vassoura, festas em que se tirava uma pessoa para dançar ao entregar uma vassoura ao par com quem ela estava dançando. Nunca ninguém me tirou para dançar nesses bailes. O máximo que acontecia era eu sobrar com a vassoura. Sabendo disso, minha mãe organizou alguns bailes na nossa pequena sala com os amigos do bairro — e eu tinha que dançar sob a vigilância rígida da dona Erani — e nosso apartamento virou uma espécie de *point*. A maioria dos meus colegas adorava minha mãe e gostava de ficar em casa durante o dia. Dormir, só quem fosse bem próximo.

Eu dei o meu primeiro beijo quando tinha dezesseis anos. Minha mãe passou a autorizar que Dara, minha prima e eu fôssemos à praia sozinhas sem a vigilância dos meus irmãos. Eu era obediente quanto a ficar ou não com rapazes, mas naquele dia resolvi quebrar a regra. Estava no mar quando um jovem se aproximou e começou a conversar comigo. Eu me lembro que ele disse se chamar Júnior e que morava em um bairro próximo ao meu; era alto, deveria ter uns dezoito anos e seu hálito cheirava a cerveja. Um rapaz bonito, de cabelos cacheados, negro claro — para o meu rápido julgamento de quinze minutos, pareceu legal.

Conversa vai, conversa vem, decidi que era hora de dar o primeiro beijo, ter alguma história pra contar. Minha prima, mais velha do que eu, sempre falava de suas aventuras. Beijei, então, o rapaz. Não sei se foi minha falta de experiência, mas o beijo simplesmente não encaixou, foi bem ruim. Não houve delicadeza, o menino enfiou a língua na minha boca sem saber direito o que estava fazendo e, para completar, ele tentou abaixar o top do meu biquíni mais de uma vez. Precisei ser taxativa quanto a não querer aquilo. "Do que você tem medo?", ele perguntou. "Não tenho medo de nada, só não quero", respondi.

Quando cansei daquilo, falei que precisava ir embora, inventei alguma desculpa sobre meus irmãos estarem chegando, saí do mar e me deparei com irmã e prima boquiabertas. Elas estavam surpresas porque eu sempre fui a "certinha" e até tentaram colocar a situação como inapropriada — mas eu sabia das experiências delas e a história parou por ali. Ao chegar em casa fui acometida por um sentimento de culpa por estar escondendo algo da minha mãe — mas eu não podia contar.

Nunca mais vi aquele rapaz, nem quis manter contato. Meses depois, tive uma segunda experiência. Um amigo do meu irmão queria "agitar" um amigo dele pra mim. Aquela foi a primeira vez que isso aconteceu. Lembro bem da situação, combinamos de nos encontrar no calçadão da praia do Embaré para passear e eu conhecer o menino. Ele devia ter a mesma idade que eu, dezesseis anos, e se chamava Allan. Enquanto conversávamos, andando pelo calçadão, tudo correu bem — até o garoto avançar pra cima de mim. Enquanto me beijava, ficava levantando meu vestido, passando a mão no meu corpo. Ao mesmo tempo, eu tentava desviar das mãos dele e puxava meu vestido pra baixo. Lembro de ficar naquela situação por alguns minutos até dar a desculpa de que precisava voltar. Foi muito ruim, não gostei nada. Os que nos esperavam comemoraram, e Allan pediu para me ver uma próxima vez. Eu ainda não entendia que aquilo havia sido violento, só sabia que não tinha gostado. E não queria repetir.

Eu não sei como você e minha mãe conversaram sobre sexo, vó, se houve espaço e tempo pra isso. Acredito que não. Vocês duas sempre diziam que o exemplo ensina, e eu concordo. Os olhares cúmplices de vocês moldaram muito do que eu sou, mas ter visto a infelicidade da minha mãe, também. Eu não queria repetir os mesmos erros, queria ter a chance de fazer minhas próprias escolhas.

Lembro quando minha mãe me levou à ginecologista pela primeira vez. Eu tinha dezesseis anos e fomos ao postinho de saúde do bairro. Enquanto eu aguardava a consulta, a recepcionista me perguntou, rindo: "Está de quantos meses?". Dona Erani, claro, ficou brava com a pergunta da mulher. Na época eu não havia entendido, mas hoje vejo o quanto a mulher foi preconceituosa. Eu era virgem, ainda não tinha dado o primeiro beijo, só estava ali porque havia começado a menstruar só um ano antes e minha mãe queria saber se estava tudo bem. A médica ficou surpresa quando eu disse que era virgem, mesmo assim recomendou que eu tomasse pílulas anticoncepcionais — o que soou como ofensa pra minha mãe, uma vez que ela acreditava que eu e minha irmã deveríamos casar virgens. Tudo era rodeado de muito tabu.

Esse ciclo eu rompi. Educo Thulane para se conhecer, não ter vergonha do corpo. Consegui tirar o peso do não dito, da vergonha em falar sobre menstruação. Conversamos sobre sexo, sem tabus. Ao mesmo tempo, a educo para não acreditar que liberdade sexual é só dizer sim. Também é sobre dizer não, se respeitar, não acreditar que é careta porque nunca namorou. São dois extremos muito perigosos que tentamos evitar. Uma coisa nós ainda temos de você: a força dos olhares cúmplices.

Minhas primeiras experiências com meninos foram muito invasivas, vó. Por isso, entre meus dezesseis e dezenove anos, eu saía com minhas colegas sem pensar muito em garotos, só para curtir o passeio. Sabia que ninguém iria querer ficar comigo e, de algum modo, eu também não queria nada com ninguém, porque sempre fui muito sensível. Há que se fazer a diferença aqui entre sensível e suscetível. Sensível é um traço bom, de alguém que se deixa comover — quando adolescente eu já chorava com músicas que me emocionavam, com livros. Suscetível, por outro lado, é ser frágil, passivo. Eu não era suscetível ao desejo dos meninos, eu os repelia. Por ser sensível, eu repelia, mesmo quando eles tentavam me colocar como medrosa por eu não querer que eles abaixassem meu top sem autorização. A sensação de não me sentir respeitada foi a principal responsável por eu me afastar deles.

Mas lá no fundo, vó, eu fantasiava com amores intensos, desejava ter um encontro de verdade, com o garoto indo me buscar em casa e não me acossando em um banco de praia. Após o breve relacionamento que tive com o rapaz da igreja messiânica — a primeira vez em que me apaixonei de verdade, tirando as paixonites não correspondidas de adolescente (algumas até expostas pelos rapazes ofendidos pela preta gostar deles) —, eu fiquei mais alguns anos sozinha. Até saía com alguns rapazes, mas nada sério. Eles eram quase todos agressivos, queriam algo rápido e sem romance e eu detestava. Sofria muito porque queria estar com alguém, mas nunca me senti respeitada. Lembro que, na adolescência, quando chegava o Dia dos Namorados, várias garotas ganhavam ursinhos de pelúcia, caixas de bombons e outros presentes dos namorados ou pretendentes. Eu e minha irmã nunca ganhamos nada e observávamos a alegria das garotas na hora do intervalo e nossa sensação de não pertencimento.

Quando eu tinha vinte anos, comecei a frequentar os bailes black da cidade, especialmente o do Bar do 3. Minhas amigas e eu passávamos horas nos arrumando pra sair, combinávamos as roupas, penteados. Pela primeira vez eu senti a sensação de pertencer. Os rapazes nos queriam, nós não éramos mais as feias da turma. A noite de sábado era um verdadeiro acontecimento pra nós. Gostava de me sentir bonita, ser chamada de rainha do baile, me destacar com minhas blusas de lantejoulas e macacões abertos nas costas. Porém, com o tempo, fui deixando de me encaixar. Dançava a noite toda e voltava pra casa sozinha. Ficava horas ouvindo músicas românticas no meu radinho Lenoxx, comprado com o meu primeiro salário, e sonhava com o dia em que um homem tivesse o desejo real de me conhecer e não somente de me usufruir.

De algum modo, o preterimento me salvou, pois aproveitei o tempo sozinha lendo, escrevendo poesias, indo às reuniões em um centro espírita da cidade. Mas as poucas experiências que tive foram marcadas pelo olhar condicionado que nos sexualiza. Eu demorei a ter uma relação de verdade. Como mulher, eu era um produto que tinha como dono outro produto. Como negra, eu era um subproduto que tinha como dono outro subproduto. Um sub-subproduto. Todos tinham direitos sobre mim. Eu não tinha lugar nem na prateleira.

Quando saí com Allan, aos dezesseis anos, ele não quis andar de mãos dadas comigo ou me levar para tomar um refrigerante. Não perguntou sobre minha música favorita, se meus pais eram bravos, onde eu morava ou qual era a minha matéria preferida na escola. Ele não achou que eu merecia esse cuidado, vó. Após uma conversa-fiada, já quis logo se apossar de mim, sem saber que eu era filha da mulher que desafiou um patrão assediador segurando uma frigideira com óleo quente. Ele seria aquele que jamais tocaria em meus cabelos, mesmo querendo tocar no meu corpo. Eu era somente um instrumento de prazer, talvez uma iniciação para um garoto na puberdade, e não uma pessoa com quem ele gostaria de namorar.

Eu não sei como você criou meus tios, vó, mas todos parecem respeitosos com suas companheiras. Minha mãe, mesmo dando regalias aos meus irmãos em relação às tarefas domésticas, costumava ser brava quando o assunto era relacionamento. Sempre disse a eles que, se estivessem namorando e ela descobrisse que eles estavam traindo as namoradas, ela contaria. E uma vez ela fez isso mesmo. Uma moça ligou para um irmão meu e minha mãe logo percebeu do que se tratava. Quando ele levou a namorada pra jantar em casa, minha mãe a recebeu dizendo, sem o mínimo constrangimento: "Você sabe que ele fica recebendo ligação de outra mulher?". Ela batia no peito dizendo que criaria homens dignos, que vigiaria tudo muito de perto. Meus irmãos só foram se relacionar de modo mais duradouro após a morte dela. Eles a respeitavam e temiam decepcioná-la.

Quando engravidei, torcia muito para não ser um menino, não porque não goste de meninos, claro que não, mas porque não me sentia preparada para educar um homem numa sociedade machista. Como ensiná-lo a ser decente num mundo que produz masculinidades tóxicas? Aos vinte e quatro anos, não me sentia nem um pouco preparada para essa tarefa. Anos depois, quando pensei em engravidar de novo, desejei um menino. Com mais de trinta anos, madura, eu saberia educá-lo, apresentar outras referências, ensiná-lo a ser criança e não menino. Passado um tempo, porém, decidi que não queria ter outro filho. Tenho sobrinhos e isso me satisfaz. São rapazes com caráter, você ficaria orgulhosa, vó. No entanto, as preocupações seguem as mesmas: cuidar para que eles sempre saiam com documentos, ensiná-los como proceder numa eventual parada da polícia, rezar para que eles cheguem em casa.

O fantasma de sexualização esteve presente em minha vida a maior parte do tempo, me fazendo ser um tanto solitária. Eu ia às atividades do centro espírita — algumas consistiam em visitar orfanatos e asilos —, saía com a minha mãe ou simplesmente ficava em casa. Intuitivamente, eu tinha uma proteção "antimacho" que me afastou de viver péssimas experiências — ou pelo menos evitou muitas. A ilusão de um amor me completava de alguma maneira. Ninguém que eu conhecia na vida real superava o amor imaginário que viria me buscar em casa pra jantar e andaria de mãos dadas comigo, acariciando meus cabelos antes de me beijar com carinho. Claro que essa ilusão também me prejudicou, eu precisava aprender a lidar com a realidade, mas a realidade que se apresentava consistia em forçação de barra e mãos não requisitadas.

Não é que eu estivesse fixada na fantasia. Acho que teria

me entregado facilmente a uma experiência amorosa real, com suas contradições, mas era a realidade que insistia em não me olhar com olhos de amor. Eu queria ser vista com delicadeza, encontrar alguém com quem falar dos meus livros favoritos, da história triste do velhinho do asilo. Claro que eu também desejava contato físico, mas não exclusivamente.

Aos dezenove anos, para esquecer o meu primeiro amor que não surgia, eu saía sozinha. Claro, eu poderia ir ao pagode com minha irmã e as amigas dela, mas não gostava, então preferia ficar nos bares de MPB. As primeiras vezes foram legais, eu bebia suco e curtia as músicas. Mas precisei parar de ir. Primeiro porque ainda não tinha a confiança de sentar sozinha em uma mesa de bar, e não conseguia bancar os comentários sobre mim. Segundo, porque alguns homens começaram a enviar bebidas para a minha mesa, talvez julgando que eu era uma prostituta à procura de clientes, e não uma jovem sonhadora querendo se inebriar de canções de amor. Isso se repete até hoje, são muitas as vezes que evito sair sem companhia ou me abstenho de tomar um drink no hotel.

Nas vezes em que fui sozinha a barzinhos, eu voltava andando pelo calçadão da praia, observando todas as pessoas que pareciam viver numa realidade paralela à minha. Mais do que felizes, elas pareciam encaixadas à vida. Em geral, eu buscava todas as possibilidades para não sentir a vida, simplesmente não me reconhecia como parte integrante dela. Minhas amigas loiras estavam sempre com seus namorados e, por mais que se decepcionassem também, sempre tinham alguém para apresentar aos pais e de quem pegar emprestado o moletom em um dia frio. Eu olhava os casais apaixonados nos banquinhos da praia e aquilo parecia um sonho distante. Eu via as famílias parecendo felizes andando pelos jardins, pessoas pedalando suas bicicletas, mães correndo atrás de seus filhos esboçando sorrisos. Havia casais namorando, pais e mães conversando com seus filhos, a lua refletindo o mar. Eu não me reconhecia em nenhuma daquelas pessoas.

Eu queria viver um amor, vó, mas não queria que fosse qualquer amor. Não ficava chateada se não beijasse ninguém numa festa, mas sim se não beijasse o garoto que eu julgava ser legal. E eu nunca beijei o garoto legal, sempre voltava pra casa pensando como teria sido. Uma sensação de vazio me tomava.

Nas poucas vezes que fui a bailes de Carnaval na adolescência ou quando jovem adulta, os rapazes tentavam me beijar à força, tudo era muito naturalizado. E foram várias as vezes em que ouvi, ao rejeitá-los: "Está se achando, hein, neguinha? Você não é tudo isso". Para eles, eu deveria me sentir honrada em ser beijada à força ou agradecer por eles passarem a mão em mim sem meu consentimento.

Vó, tive muitos amores platônicos na adolescência. Se alguma amiga branca se interessava pelo mesmo rapaz que eu, já tirava meu time de campo, pois sabia que não teria chance. E eu tinha várias amigas brancas, por morar em um bairro classe média. Dara e eu éramos tão legais e divertidas quanto elas, mas, diferentemente das garotas brancas da vizinhança, não tínhamos namorado. Éramos invisíveis.

As garotas do bairro sabiam disso. Elas não nos enxergavam como bonitas ou nos viam como alguém que poderia ser um obstáculo para as pretensões amorosas delas. Se algum garoto mexia com a gente na rua, sempre era para elas; se elas estavam a fim de um garoto, era a gente que intermediava. Se eu achasse um garoto bonito, branco ou negro, elas já diziam: "Mas ele não vai querer ficar com você, né?".

Antes da balada black, dois eventos amenizaram essa

realidade. O primeiro aconteceu quando eu tinha quinze anos: uma família havia se mudado recentemente para o prédio onde morávamos e logo eu e meus irmãos nos afeiçoamos aos filhos, dois rapazes. Brincávamos juntos na rua, organizávamos bailes da vassoura, ensaiávamos as coreografias das bandas do momento pra dançar nas festas. Logo eu me apaixonei pelo mais velho deles. Contra todas as minhas expectativas, ele também se interessou por mim. Uma amiga loira que morava perto do nosso prédio também estava a fim dele e não se conformava de não ser correspondida. Ela ficava tanto atrás dele que um dia ele sugeriu que a gente inventasse que estava namorando pra ela desistir. Aceitei. Mesmo assim, ela não desistiu.

Uma vez, nós duas estávamos brincando em frente ao meu prédio e, de repente, ela disse que precisava ir embora. Eu achei esquisito, havia alguma coisa errada. Fui pra casa mas, passado um tempo, decidi ir até o apartamento em que esse rapaz morava, dois andares acima do meu. Ao chegar lá, encontrei minha amiga na porta conversando com ele. Fiquei com tanta raiva, até ficamos sem nos falar por um tempo. Quando perguntei o porquê de ela fazer aquilo, ouvi um "Todos os meninos da rua querem ficar comigo, não é possível que ele não queira". E realmente eles acabaram ficando depois de um tempo, para minha tristeza. Não era, afinal, nenhuma surpresa. Eu já estava acostumada com aquele tipo de situação.

Eu poderia ter namorado esse rapaz, vó. Minha mãe tinha medo de que isso acontecesse, aliás, por ele ser branco.

Ela temia que a família dele me tratasse mal, me desrespeitasse. "Filha, tenho medo de que na primeira oportunidade ele te ofenda, te chame de macaca. Vou precisar quebrar a cara dele se isso acontecer", ela me disse uma vez. À época, eu não entendia direito a preocupação dela, não me ocorria que um garoto que gostasse de mim pudesse me desrespeitar daquela maneira, mas hoje entendo o que minha mãe pensava. Não que ela fosse contra relacionamentos interraciais, alguns dos meus tios eram casados com mulheres brancas, mas para uma mãe preta, machucada pelo racismo, não me permitir namorar com o garoto branco foi uma das tantas formas que ela encontrou de me proteger.

O segundo evento ocorreu logo em seguida. Você já tinha falecido e foi a primeira vez que fui a Piracicaba sem ficar na sua casa. Foram dias importantes, que criaram boas e novas memórias, para além da casa em São Dimas. Foi como ser acolhida mais uma vez, agora na adolescência.

Naquela viagem, Dara e eu ficamos uns dias na casa do tio Lino e sua esposa Vilma, sendo muito mimadas. Eles nos trataram como filhas. Lembro das idas à locadora para alugarmos os filmes que queríamos, dos doces que Vilma preparava, dos passeios de carro. Foi incrível. Os outros tios até brigaram para que fôssemos à casa de todos. Um sentido de continuidade do amor que você plantou.

A maior parte do tempo, porém, ficamos na casa do tio Edmilson, o Dema. Ele havia casado com uma mulher muito legal, a tia Valéria, e à época morava com a família dela, muito afetuosa e generosa. A casa ficava numa região simples da cidade, e logo fizemos amizade com algumas garotas das redondezas. Era Carnaval e havia um grupo de jovens na vizinhança que se organizava para pular numa quadra no centro. Todos se arrumavam, as garotas trançavam os cabelos umas das outras e dos garotos, tudo dava a impressão de um grande acontecimento. Para minha surpresa, os garotos do bairro se interessaram por mim e por minha irmã, as garotas foram acolhedoras e nós quisemos sair com o grupo. Liguei para a minha mãe pedindo autorização, e sem surpresa alguma ela negou. Pedi pra tia Valéria interceder, o que fez com que dona Erani ficasse ainda mais brava — você sabe, ela detestava não ter a autoridade dela respeitada.

Vou te contar, vó: nós fomos mesmo assim, com nossa nova tia acobertando. E não nos arrependemos, foi um evento lindo. Estávamos acostumadas com uma vizinhança branca, que não se via como classe trabalhadora, de mentalidade provinciana e, de repente, encontrávamos numa rua de terra, com casas populares, muito rap, samba e, sobretudo, rapazes nos disputando pela primeira vez.

Minha irmã acabou ficando com um garoto, já eu fui logo me interessar por um que estava interessado em outra, e assim foi. Mas a experiência de estar lá, de irmos em grupo para o ponto de ônibus, nos arrumarmos como se fosse para um grande evento, me deu uma sensação de pertença. Minha mãe não gostava que a gente andasse em bando, controlava nossos passos, então aquelas semanas foram libertadoras, apresentaram uma nova realidade.

De volta a Santos, eu me sentia diferente, mudada. Havia descoberto que a vida era muito mais do que o apartamento entre os canais 4 e 5, que havia pessoas acolhedoras por aí, e, acima de tudo, que eu era, sim, bonita.

Quando eu tinha vinte e poucos anos, me relacionei brevemente com um homem que conheci na balada black do Bar do 3. Eu me sentia muito confortável lá, onde a maioria das pessoas era negra, onde eu podia dançar sem muitas preocupações, onde todos me achavam bonita. Ainda assim, ia embora sozinha porque não queria viver a autenticidade presumida, performances malfeitas de masculinidade. Havia um código pré-acordado de que os caras podiam ficar com várias mulheres e que as mulheres deveriam brigar entre si. Foram várias as vezes que presenciei brigas entre mulheres enquanto o disputado ficava se gabando, ou que vi colegas minhas chorando no baile durante o intervalo, quando tocava músicas românticas. Havia certa naturalização desse comportamento masculino e nós, mulheres, éramos alçadas a um lugar de competidoras. Eu cresci vendo minha mãe se machucar com as traições do meu pai, então sempre consideria absurdo me colocar em um lugar de agente da dor de outras mulheres. Não era uma questão moral necessariamente, mas de trauma.

Porém, em alguns momentos, saí com algumas pessoas. Eu evitava os galãs do baile, que nunca me atraíram por ter uma beleza padrão. Inclusive, sentia até certo prazer em esnobar os caras que julgavam que passar horas na academia o fariam ser desejados por todas. Num dos bailes, fiquei com um rapaz considerado feio pelas minhas amigas — ou seja, mais baixo do que eu, magricelo e sem muito estilo. Ele era legal, divertido, não virava para olhar o corpo de toda mulher bonita que passava e era delicado no trato. Minhas amigas me zoaram quando saí de mãos dadas com ele do baile. Eu era a "diferentona" e não me importava.

Mas o rapaz que parecia legal se mostrou possessivo, queria saber onde ficava minha casa, falou de morarmos juntos. Obviamente, me assustei. Como nós só havíamos ficado uma única vez, tratei de dispensá-lo. Vó, imagine: um cara que eu mal conhecia dizendo que tinha um terreno em São Vicente e me convidando para viver com ele, no segundo encontro! E ele achou que eu fosse me derreter de amores diante do convite, sendo que só senti pavor.

E o pior: ele descobriu onde eu morava. Precisei pedir a ajuda do Denis para afugentá-lo quando um dia ele simplesmente apareceu na porta de casa, depois de eu não atender mais as ligações dele. Nos bailes seguintes, precisei me cercar de amigas para que ele não se aproximasse de mim. Quando ele tentava conversar comigo, alguma amiga pedia pra ele se afastar. Passei a voltar do baile pra casa sempre acompanhada. Não que ele fosse ameaçador, mas era insistente. Queria ficar comigo mesmo eu dizendo que não. Após um tempo, ele parou de me perseguir e logo apareceu com outra moça no baile. Ali entendi que, independentemente de ser galã ou não, os homens possuem uma autoestima de dar inveja.

Depois desse episódio, apesar da minha resistência em sair com os "disputados do baile", aceitei ficar com um deles. O cara cursava engenharia numa faculdade pública, vinha de uma família negra e parecia ser interessante. As primeiras vezes em que saímos foram bacanas, até que ele passou a aparecer na minha casa sem avisar, queria saber com que roupa eu iria no baile e controlar o comprimento das minhas saias.

De tanto amar o baile, vó, os organizadores me convidaram para ser hostess, então eu ficava na porta até duas da manhã e depois entrava para curtir a festa, o que significava dançar até a última música, a ponto dos homens fazerem fila para dançar comigo. Somente dançávamos: minha fama me precedia, e nenhum deles se atrevia a ir além.

Minhas amigas e eu nos arrumávamos para chamar a atenção no baile e sermos as mais bonitas da noite. E era algo de que homem algum participava — exceto quando tínhamos dinheiro para ir ao cabeleireiro afro badalado da cidade —, por isso passaram a me incomodar as visitas repentinas do meu "ficante" de três meses. Ele era daqueles homens que falam de você como se fosse algo etéreo, uma coisa que existe apenas porque eles lhe dão forma.

Havia algo nele que me incomodava. Eu escutava jazz porque apreciava o som, blues porque as letras e melodias me comoviam. Meu amor pela música era — e é — necessário. Já o amor dele pela música era contingente. Ele ouvia jazz e blues com certo pedantismo, explicando o que cada canção queria dizer — mesmo que ninguém estivesse interessado —, ou o nome do baixista que fazia um solo de exatos dois minutos e dez segundos. E não haveria problema se ele dissesse essas coisas com brilho nos olhos, mas ele dizia para se sentir superior ao gosto mundano. "Eu não ouço essas músicas de hoje", "Eu tenho bom gosto, pra ficar comigo tem que ter bom gosto", dizia com petulância. Por mais que gostássemos das mesmas músicas, eu não me importava com o que minhas amigas ouviam, era só frequentar lugares diferentes e pronto. Ele não amava nada com verdade, tudo parecia encenação, então não sei por que julguei que ele poderia me amar.

Um dia, ele apareceu na minha casa e pediu pra ver qual roupa eu usaria naquela noite. Ao ver que seria um macacão verde florescente e justo — sou vaidosa como minha mãe —, ele me sugeriu rever o look, pois eu chamaria muita atenção e ele precisaria me proteger. Respondi que poderia me defender sozinha e que havia comprado aquele macacão pra chamar a atenção mesmo. Ele ficou contrariado, mas se calou. Fomos ao baile e, como de costume, fui pra pista de dança, apesar de algumas amigas me aconselharem a ficar com ele. Algumas delas, quando estavam acompanhadas de um homem, simplesmente deixavam de dançar no baile e ficavam ao lado deles como forma de "respeito". Eu me recusava a deixar de fazer algo que eu gostava para satisfazer o ego masculino.

Alguns rapazes me tiraram pra dançar, e eu estava curtindo minha noite do jeito que mais amava. Da pista de dança, em um intervalo do DJ, olhei para o meu acompanhante que estava de cara feia e braços cruzados. Fui chamá-lo pra dançar e ele se recusou, dizendo que "mulher dele deveria ficar com ele". Eu disse que seguiria dançando e foi exatamente o que fiz quando o DJ voltou. Em dado momento, amigos dele sugeriram que ele fosse me tirar da pista, pois eu o estava desrespeitando. Incentivado por eles, meu acompanhante foi até mim e me puxou pelos braços, exigindo que eu parasse e o obedecesse.

Um dos lemas que aprendi com minha mãe foi: "Se você chama a atenção de alguém em público, a resposta não pode ser no privado". Se ele tivesse esperado o baile acabar para conversar e expor seus incômodos, eu o teria escutado, mesmo discordando. Porém, naquele momento eu soltei meus braços e com o dedo em riste disse que ele não mandava em mim, que eu faria o que eu bem entendesse. Envergonhado, ele voltou para onde estava e ficou de cara feia até o baile acabar. Eu simplesmente segui dançando. Quando a festa acabou, incentivada por minhas amigas, fui falar com ele.

Pagamos a comanda e ele me acompanhou até em casa. Fomos discutindo pelo caminho. Num determinado momento, cheio de coragem e com o peito estufado, ele parou e me disse: "Djamila, você precisa entender que o que é meu é meu". Vó, eu fui tomada por uma raiva ancestral, descontrolada. No meio da rua, ali mesmo, aos berros, questionei: "Quando foi que te deram a minha escritura, seu babaca?". Gritei tanto que as pessoas que moravam nos prédios por onde passávamos saíram na janela para ver o que estava acontecendo — algumas até gritavam de volta, mandando eu parar. Meu acompanhante ficou assustado, sem saber o que fazer, tentando me acalmar, mas tudo o que ele dizia só servia para me deixar com mais raiva. Até que ele desabafou: "Te falei uma das coisas mais românticas e é assim que você me trata? Muitas mulheres desejariam que eu falasse isso a elas, muitas mulheres desejam ser minhas".

Vó, a senhora não imagina a vontade que eu tive de agredi-lo naquela hora. Só não o fiz porque sabia que teria problemas, ele era muito maior do que eu. Assim que chegamos na minha casa, eu entrei sem dizer tchau, não sem antes ele tentar me impedir de abrir o portão do prédio. "Eu sou sujeito homem!", ele dizia. Consegui me desvencilhar e entrei no prédio. À época, a expressão "sujeito homem" me incomodou, mas eu não soube explicar o porquê, só consegui responder "eu sou sujeito mulher". Mas conforme fui estudando, percebi a razão do incômodo. Para ele, eu era o objeto mulher e, por mais que ele desconhecesse as teorias sobre a construção do sujeito, ele sabia quando invocar um lugar de superioridade. Impressionante que até no senso comum eles vencem. Ele ficou no meu pé por mais um tempo, chegou uma vez a me acompanhar ao hospital quando meu pai estava internado, pra depois jogar na minha cara que tinha feito aquilo por mim e, mesmo assim, eu não voltava pra ele. Ficou me escrevendo, mas em vez de se declarar com sinceridade e simplicidade, ficou me enchendo com seus falsos poemas e frases piegas sem sentido.

Após alguma insistência, ele finalmente se conformou. Não tinha mais volta, quando o respeito chega a um nível tão baixo, não há mais para onde voltar.

Você e minha mãe podem não ter conversado comigo sobre relacionamentos ou sexo, mas a postura das duas ao nos defender dos homens e não permitir que nenhum deles nos desrespeitasse forjou muito da mulher que sou. Meu pai também foi uma figura essencial nisso. Foram várias as vezes em que ele fez minha irmã e eu prometermos que seríamos independentes, teríamos nossas próprias profissões. "Vocês precisam ter o trabalho e o dinheiro de vocês para não aceitarem desrespeito. Não deu certo? Dá um pé na bunda dele e vai seguir com a sua vida. Eu não quero filha minha aceitando desrespeito porque não tem para onde ir, entenderam?" Ele falava com tanta gravidade que, para nós, com os nossos treze, catorze anos, o que ele dizia era lei.

Meu pai teve os problemas dele como homem, mas não queria que eu e minhas irmãs sofrêssemos, mesmo ele fazendo minha mãe sofrer. "Eu sei como os homens são, eu sou um!

Não deixe jamais um deles mandar em você!", ele sempre repetia. Isso moldou muito das minhas escolhas afetivas. Eu sabia que podia vislumbrar um futuro que não incluísse um parceiro. Eu sabia que podia gritar com um namorado possessivo e nunca mais vê-lo. Meu pai queria para mim e para minha irmã homens melhores do que ele fora. E isso é amor.

Com todas as suas contradições, meu pai era o homem que me incentivava a ser melhor, sempre. Queria que eu conhecesse o mundo, se orgulhava das minhas notas boas na escola, elogiava a minha inteligência. Quando comecei a estudar inglês, ele assinou um plano de TV a cabo para que eu pudesse assistir aos canais em inglês e praticar. Ele me colocou no curso de xadrez, natação, basquete. Quando eu tinha oito anos, por causa das minhas excelentes notas, ele me presenteou com o livro *As novas vestes do rei*, com a seguinte dedicatória: "Para minha filha, Djamila, por seus merecimentos. Do seu pai Joaquim. Feliz leitura!".

Em 1990, o vendedor do anuário paulista de melhores alunos nos procurou para dizer que eu estava na lista daquele ano. Meu pai não titubeou em se endividar para comprar o livro. E fazia questão de exibi-lo para cada visita. "Minha filha é um prodígio", ele dizia orgulhoso. Quando passei no vestibular para jornalismo, decepcionou-se por eu não ter entrado numa faculdade pública, dizia que eu não deveria me contentar, deveria acreditar mais em mim e prestar novamente para uma faculdade pública.

Por sua influência, participei uma vez de programa social do orfanato do bairro, adotando uma criança para passar um feriado em casa. Foi meu pai que me ajudou a cuidar do garoto, que era autista e, por isso, esquecido por outros voluntários do projeto.

Uma vez, pisei de fato em um caco de vidro e ele pegou uma pinça para poder tirar. Como o caco era muito fino, doía demais todas as vezes em que ele tentava puxar. Meus irmãos se amontoaram em volta para ver, e ele pediu para que todos gritassem junto comigo. Toda vez eu dizia um "Ai, tá doendo", meu pai e meus irmãos gritavam junto. Eu comecei a rir e a ficar menos tensa. Quando me dei conta, ele tinha conseguido arrancar o caco. Se chegássemos de joelho ralado e era preciso passar algum remédio que ardia, ele fazia a mesma coisa, gritava junto com a gente. Hoje, ao refletir sobre isso, penso como meu pai, numa brincadeira simples, me ensinou a me importar com a dor do outro, a ser solidária com a dor do outro.

Em outra ocasião, a gente estava na praia, e eu sabia que não podia ir para o fundo, mas fui. Uma onda me engoliu e eu quase me afoguei. Ele me buscou, me levou até a areia e disse: "Olha pra você e agora olha para o mar. Olha o tamanho do mar!". Nada mais precisou ser dito.

O Joaquim marido era um, o Joaquim pai era outro. E essa diferença era fundamental.

A música "Tempo perdido" do Legião Urbana me emociona muito, vó. No passado, ela me causava angústia, me fazia lembrar dos tempos da adolescência, da inadequação, do sentimento de não pertencer a lugar nenhum. De quando eu passava pelos jovens brancos sentados em frente ao shopping rezando para que nenhum deles me chamasse de neguinha ou falasse "olha sua mina aí", se direcionando ao amigo. Eles ouviam Legião, e por isso não gostei da banda logo de cara. Tive que desassociar uma coisa da outra, pois por um tempo julguei que Renato Russo era racista por culpa deles. Eu me afastei de muitas coisas porque eram "coisas de branco".

Muitas garotas brancas que se diziam minhas amigas gostavam de se sentir superiores me dando conselhos que nada contribuíam para minha autoestima, como alisar o cabelo. Uma em especial certa vez me disse: "Pare com essa história de racismo, eu sou branca e sou sua amiga. Racismo é coisa do passado, acho você um pouco paranoica". "Sou branca e ando com você", ouvi de outra. Elas queriam que eu me sentisse grata por tamanha benevolência. Muitas delas me usavam de muleta para se sentirem bem com elas mesmas.

Passei a adolescência ouvindo de conhecidos o quanto eu era bonita, que quando eu crescesse eu deveria ser "mulata do Sargentelli". Era o único destino possível para meninas negras que se encaixavam no "padrão mulata". Sempre gostei de ler e estudar, mas isso não importava pra eles. O que importava era meu corpo, minha cor, minha beleza.

De resto, sempre adorei samba. Meu pai comprava todos os vinis dos sambas-enredo e sempre assistia à apuração xingando os jurados que davam nota baixa para alguma escola de samba, porém ele nunca permitiu que a gente se aproximasse muito desse universo. Por ser comunista, seu Joaquim considerava o Carnaval alienação e queria manter as filhas longe da objetificação. Soube uma vez que quase saiu na porrada com um colega estivador quando descobriu que ele havia me convidado para ser passista numa escola. "Escola de samba não dá camisa pra ninguém, vai estudar", era sua frase-padrão quando eu me atrevia a dizer que gostaria de assistir a um ensaio. (Ele não imaginava, porém, que minha mãe já tinha me levado escondido para ver alguns.)

Ele mesmo nunca havia pisado numa escola de samba, apesar de ser um grande apreciador do gênero. Cresci ouvindo Originais do Samba, Candeia e Cartola em casa, nas festas de família, e mantinha a esperança de que um dia ele nos deixaria conhecer parte de nossa cultura — o que nunca aconteceu. O racismo também tem dessas, vó: afasta as pessoas negras das culturas que elas mesmas construíram.

Por muito tempo, fui profundamente crítica às passistas, pois julgava que aquele era um papel do qual todas nós precisávamos nos afastar. Quando minha filha tinha apenas seis meses, uma mulher na padaria disse que ela seria a próxima Globeleza, porque tinha as coxas grossas. Passaram-se vinte e cinco anos entre a mulata do Sargentelli e a Globeleza. Mudaram-se as personagens, mas o roteiro seguiu o mesmo. Eu fiquei muito brava na hora e só consegui responder: "Minha filha será médica". Não haveria problema algum se ela fosse passista, o problema era querer confiná-la a esse lugar.

Quando Thulane tinha seis anos, um homem disse que ela daria muito trabalho para o pai. Achei a frase um grande absurdo, mas não fui capaz de racionalizar no momento. Ele estava não apenas sexualizando uma criança, mas também colocando-a sob o controle masculino. Thulane não daria trabalho à mãe, mas a quem era proprietário dela.

Por ter vivido assédios e tentativas de abuso na infância e adolescência, passei a ficar extremamente atenta ao entorno da minha filha, e percebi que as coisas não mudaram. Quanto ao racismo na escola, porém, as coisas haviam avançado um pouco. Após a implementação da lei 10.639, que tornou obrigatório o ensino de História e Cultura Afro-Brasileira, o debate, apesar de ainda longe do ideal, havia melhorado.

Thulane sofreu alguns episódios de racismo na escola,

mas esteve longe de passar pelo que passei. Em relação ao gênero, porém, vivenciamos coisas parecidas. Homens olhando para seus seios em crescimento quando ela tinha apenas dez anos, assédio na rua agora que ela é uma adolescente. "Ela já está uma mulher, que corpão", as pessoas falam sobre adolescentes de catorze, quinze anos sem o menor constrangimento. E, assim como a mãe, Thulane não é uma adolescente considerada típica e ouve coisas como se ela precisasse já namorar, sair, em vez de fazer o que tem vontade. Quando tinha dez anos, ela voltou da escola extremamente aborrecida porque algumas crianças haviam caçoado dela pelo fato de ela ainda assistir desenho animado. Ao final da reclamação, ela questionou: "Por acaso agora a infância virou crime, mãe?".

Como minha mãe sempre me defendeu de assédios e me ensinou a não silenciar, já arrumei muita briga na rua com quem tentava assediar minha filha. Grito, pergunto em voz alta para constranger: "Você sabe quantos anos ela tem, seu pedófilo?". No começo, Thulane ficava envergonhada quando eu fazia isso, assim como eu me envergonhava quando minha mãe "dava escândalo na rua". Mas agora percebo o brilho no olhar dela toda vez que a defendo e protejo, o mesmo brilho que tive quando minha mãe colocou o afilhado pra correr.

Em relação ao Carnaval, eu mudei de ideia com o tempo. É uma festa riquíssima, importante e esse afastamento aconteceu com muitos negros militantes. Hoje resgato o tempo perdido entendendo todas as problemáticas do que o Carnaval se tornou. E sim, vó, resgatar o tempo perdido significa dizer que já fui a vários ensaios de escola de samba e enlouqueci com o som vibrante da bateria. No Carnaval de 2020, assisti aos desfiles das escolas de samba do Rio de Janeiro pela primeira vez e foi umas das maiores emoções que vivi. Assistir à Estação Primeira de Mangueira passar foi como ver um filme. Lembrei do amor do meu pai pelo Jamelão e do quanto, mesmo tentando evitar, ele nos influenciou a amar o Carnaval.

Senti meu coração bater forte quando a bateria da escola passou e dancei com a alegria e o desprendimento de uma criança. Mas o que mais me emocionou, vó, foram os acenos e abraços que recebi de mulheres negras de diferentes escolas. Eu estava em um lugar muito próximo à avenida e era possível interagir com os membros da escola. Sou escritora, vó, cursei filosofia numa universidade pública — realizando postumamente o sonho do meu pai —, defendi minha dissertação de mestrado aos trinta e cinco anos, me tornei uma das mulheres que mais vende livros no Brasil, recebi muitos prêmios, nacionais e internacionais, e seguindo a tradição das mulheres fortes da família e os aprendizados com meu pai, sou militante. E era por isso que aquelas mulheres na avenida, mesmo desfilando, faziam questão de me mandar carinho.

Fiquei profundamente emocionada. São muitos os obstáculos, as porradas que a gente toma por "ousar" sair do nosso lugar, e nada foi fácil. Apesar de receber muito carinho e ser reconhecida pelo que faço, perceber o afeto daquelas mulheres foi diferente. Foi como me reencontrar com uma história da qual fui apartada. Foi como se elas estivessem me aceitando de volta com os braços abertos, me perdoando. Ali, eu me senti reconectada com uma ancestralidade perdida, uma espécie de volta pra casa. Quando aqueles rostos negros se emocionavam por me ver ali, expectadora delas, eu senti vontade de chorar. Os abraços e apertos de mão continham a benção que as mais velhas dão às mais novas, como eu sempre pedia a você e à minha mãe antes de dormir. Elas se emocionavam porque se sentiam representadas pelo trabalho que eu faço. Sim, eu me emocionava com o reconhecimento delas, mas também por sentir que parte da minha história havia sido restaurada.

Foi como meu babalorixá, que estava comigo, me disse: "Minha filha, quando mulheres pretas da comunidade sabem quem você é e se emocionam quando te veem, essa é a prova mais concreta de que seu trabalho é reconhecido. Não que a gente não soubesse que fosse, mas é Orixá te mostrando para que você entenda seu tamanho". E eu beijei todas aquelas mãos em reverência.

Vó, tenho escrito semanalmente para o maior jornal do país. Gosto muito da experiência de me comunicar pela escrita, assim posso dar continuidade a tantos anos escrevendo nos meus cadernos de anotações. No primeiro texto da minha coluna, decidi declarar meu amor pela cantora Whitney Houston. Tenho certeza de que você teria comprado o jornal e mostrado para todas as vizinhas, falando do orgulho que sentia pela neta de Santos. Eu escrevi essa coluna pensando em você, quase uma pequena antecipação dessas cartas que lhe escrevo agora.

Eu sentia medo de me expor, você sabe como as pessoas são cruéis com mulheres como nós. Era a coluna de estreia, os leitores esperavam que eu abordasse o tema pelos quais me tornei conhecida na esfera pública: desigualdade racial e de gênero. Vou copiar um trecho aqui para você, pois foi a ideia de te escrever que me abriu as portas. O nome do artigo é "Desculpe, Whitney":

> Eu fiz uma escolha política de abordar temas como racismo estrutural, sexismo, opressão de classe em meus trabalhos. Nasci em uma família de militantes, desde cedo participo de reuniões e encontros do movimento negro. Na adolescência, já atuava em organizações e coletivos e sigo na luta.
> Porém, é importante se humanizar ao se permitir falar do que se tem vontade, sem se importar com aquela cobrança chata de "e aí, não vai falar sobre tal coisa?".
> Às vezes, estou tomando cerveja, e não é incomum alguém aparecer e dizer: "Nossa, racismo é pesado, né?". Nessas horas, penso: "Muito, mas hoje eu só queria tomar uma cerveja".
> Essa imagem da mulher negra forte é muito cruel. As pessoas se esquecem de que não somos naturalmente fortes. Precisamos ser fortes porque o Estado e a iniciativa privada são omissos e violentos.
> Restituir a humanidade também é assumir fragilidades e dores próprias da condição humana. Somos subalternizadas ou somos deusas. E pergunto: quando seremos humanas? Aos que não me conhecem, muito prazer, falarei de temas diversos. Aos que conhecem, sinto decepcioná-los por não corresponder à imagem que podem ter criado. Aqui, quero, como diz a pensadora Grada Kilomba, "ter a liberdade humana de ser eu".
> Quero falar que a última diva pop foi Whitney Houston, peço desculpas aos fãs da Beyoncé. Nada contra, já a defendi em debates calorosos, só não curto muita pirotecnia. Amo como Whitney dominava o palco sozinha, sem dançarinos, no gogó. Assisti algumas vezes ao documentário sobre sua vida,

chamado *Can I Be Me* e refleti muito. "Posso ser eu?" Deve ter sido doloroso seguir o que todos queriam, empresários, família, militância e, apesar de ser genial, ser reduzida a "viciada".

Uma mulher triste, assim começa o documentário. Impossível não pensar na relação entre "quero ter a liberdade humana de ser eu" e "can I be me?", apesar de uma ser afirmação e a outra, o desejo, a espera eterna pela permissão que nunca vem. Desculpe, Whitney, eles sabem o que fazem e o fazem mesmo assim. Agradeço por "The Greatest Love of All", aliás, ouvir essa música no *repeat* do meu radinho Lenoxx me livrou de muitas armadilhas.

Eu decidi há muito tempo
Nunca andar na sombra de alguém
Se eu falhei, se eu fui bem-sucedida
Pelo menos eu vivi como eu acreditei
Não importa o que possam tirar de mim
Eles não podem tirar minha dignidade
Porque o maior amor de todos
Está acontecendo comigo
Eu encontrei o maior amor de todos dentro de mim

Piegas? Pode ser, mas hoje não ligo. Durante muito tempo, em círculos acadêmicos, escondi meu amor por Whitney. "Lixo da indústria cultural", eles diziam. De fato, há muita coisa ruim na era das vozes moduladas, mas como falar em bom gosto numa sociedade de massas?

Eles se esqueceram da infância pobre e do racismo, de como ela aprendeu a cantar em igrejas, do relacionamento abusivo e de que havia ali um ser humano de talento engolido por uma indústria — e que, mesmo assim, cantava com verdade. Esse é um dos grandes méritos dela. "Tá, vou ter que cantar isso aí, mas canto pra caramba e vou arrebentar." Parece autoajuda, já me disseram. Para mim, é somente a música que me acompanhou em noites trancadas no quarto, rebobinando a fita que me acolhia quando ninguém mais o fazia. Amo Whitney e vou defendê-la, não ligo de perder a carteirinha cult do bar de jazz. *Can I be me?*

Amo blues e jazz, sou capaz de ficar meses seguidos ouvindo Otis Redding, Marvin Gaye, Billie Holiday e Nina Simone, compro vinis e cds de jazz em sebos e bazares beneficentes. Considero Cartola e Milton Nascimento os reis da música. Tenho um quadro de Clementina de Jesus na sala e me indigno por ver Mussum ser lembrado como um estereótipo, e não como o grande sambista que foi no Originais do Samba. Ouço as novas gerações e gosto de muitos, não quero ser a chata "saudosista da época que não viveu" — definição interessante, inclusive.

Esses dias vi um jovem de dezoito anos cantando Marvin Gaye. Felipe Adetokunbo cantava lindamente "Just to Keep You Satisfied", e a doçura da sua voz trouxe de volta a alma da tia chata "old school", justo no momento em que estava começando a ouvir Beyoncé. Foi lindo ver um rapaz tão jovem homenageando Gaye num mundo em que ele é visto como "música chata de velho" por jovens viciados em videogame.

"It's too late, babe", dizia a canção. É tarde demais, Whitney. Mas lembrei que música boa não morre, renasce sempre em Adetokunbos em bares de blues.

Faz tanto tempo que queria ter essa conversa com você, vó. Acho que me faltava coragem para ir a esse lugar mais profundo, para acessar memórias que me são tão dolorosas. Desculpe-me, Antônia, por ter demorado.

Um dia li um texto lindo que a artista Renata Felinto escreveu numa rede social. Aquilo me tocou profundamente e sinto que é algo que gostaria de ter te falado, então reproduzo nesta carta:

> Eu não sei vocês, mas aqui a gente limpa a casa todo dia. TODO DIA. E tem umas limpezas que eu tenho certeza que só ocorreriam naquela faxina de fim de ano. Coisa que talvez a gente nunca limpasse se não fosse esse contexto de estar 24h em casa e se deparar a todo momento com aquela situação que te incomoda, independente de ter TOC ou qualquer outro transtorno.

Eu sei que pra o povo preto tem um agravante. Apesar de todo mundo saber que a gente sempre limpou das casas grandes aos triplex, tem aquela coisa de "sou pobre, mas sou limpa", que não sai da gente assim como os xingamentos absolutamente infundados de "preta fedida", e vira uma neura manter a casa limpíssima, ainda que não receba ninguém em casa nesse momento. Então ninguém vai reparar e não vai precisar dizer "desculpa alguma coisa". Olha amiga, pega o racismo disfarçado de uma mania de limpeza e coloca no molho, deixa lá até dissolver. Depois joga no ralo.

Abandona esses estigmas que nos imprimiram devido a muitas violências históricas. Varre o chão se estiver sujo e não precisa passar dez panos com desinfetante ou lavar e esfregar todo dia. Deixar uma panela pra mais tarde também não é problema.

Fazer um almoço mais simples nesse domingo também não tem problema. Almoço de domingo dá um super trabalho! Faz um prato mais simples e não menos saboroso e temperado de afeto.

Vai ver um filme. Fica no celular com as pessoas de quem gosta. Arruma as fotos de família. Separa as roupas que pode doar. Cuida das plantas. Penteia as crias. Fica de boa.

As coisas mudaram. O tempo é outro. O Tempo/Troco chegou para nos ensinar. Se vai trabalhar amanhã na rua, descansa minimamente. Se vai ficar em casa, descansa também porque tá puxado dentro de casa. É pra gente mudar a forma de agir e pensar. É pra gente ter cuidado com a gente. Com nosso interior. Permita-se ver uma coisinha desarrumada, ser menos pretensiosa na cozinha, estar mais à vontade, ficar em silêncio. Faça as coisas que as nossas mais velhas não podiam fazer: tentar respirar. Se não for por você, faz por elas. Descanse um pouco aê. Vai chegar ninguém não.

A gente dedica tanto tempo arrumando fora que se esquece de organizar dentro, dentro da gente. Obs.: se chegar, manda de volta pra casa sem abrir a porta. Relaxa. São 11h27.

Fui muito julgada por não saber arrumar a casa e cozinhar como você e minha mãe. As pessoas me olhavam daquele jeito, como se dissessem "Essa não puxou a avó". É, nesse quesito, não. E está tudo bem.

Sempre fico triste quando penso que você não teve muitos dias de descanso na vida, exceto aqueles em que viajava para Aparecida, pois gostava de visitar o Santuário. Minha mãe também passou a maior parte da vida trabalhando, mas como nos colocava para ajudá-la em casa, teve alguns momentos de paz. Eu já parti de outro lugar e, apesar de trabalhar muito, não perco mais as oportunidades de cuidar de mim — e acho que fazer isso também é um modo de honrar você.

É triste perceber que para vocês duas não houve opção, desde cedo foram empurradas para o trabalho doméstico. Claro que era exagero da sua filha lavar as paredes da casa toda com cloro e sabão na faxina de Ano-Novo, mas a questão é: de onde veio essa imposição? Essa necessidade de se comparar com outras mulheres e dizer que sua casa é mais limpa, que você é uma mulher de verdade por saber desossar um frango e manter a casa impecável mesmo com crianças pequenas?

A verdade é que minha mãe nunca pôde se fazer essa

pergunta. E as horas em que vocês duas passavam falando mal das vizinhas que não cuidavam da casa direito poderiam ter sido preenchidas com momentos de autodescobrimento, de prazer. Porém há mãos que condicionam nossas vidas antes de nascermos, coloca sobre nós um imperativo categórico de submissão e competição, como se nós só pudéssemos falar de garfos, toalha de mesa torta, panela que não está brilhando, criticar arroz papa, da vizinha que risca suas frigideiras de teflon.

Eu gostaria que vocês pudessem ter tido mais tempo para olhar para fora, porém o mundo as converteu, controlou, nem sequer deu chance. Lembro dos chás de Tupperware em casa que minha mãe oferecia e o quão tensa ela ficava nos dias que antecediam, se achava que a casa não estava impecavelmente limpa, se as mulheres convidadas iriam reparar no rasgo do sofá, na estante da sala riscada por nós. "Não repara na bagunça", minha mãe dizia, somente para ouvir como resposta "Sua casa é incrivelmente arrumada, não sei como você consegue com quatro crianças!". E esse era um dos maiores elogios que minha mãe poderia ouvir. Nunca a elogiaram por sua habilidade de fazer render comida quando passávamos por um período mais escasso, do quanto o "colocar mais água no feijão" realmente funcionava sem perder o gosto delicioso e o tempero que só ela tinha. Sua admirável habilidade de equilibrar os filhos em uma bicicleta e nos levar para a escola.

Foram raras as vezes em que ofereciam ajuda para minha mãe. Ela era vista como uma mulher forte que dava conta de tudo, mas foram muitas as vezes em que a vi chorar escondido ou disfarçar as lágrimas enquanto lavava roupas no tanque. "Desculpe qualquer coisa", ela se despedia assim das mulheres do chá. Sempre se desculpando por tudo, nunca se sentindo plena e completa. Mesmo tendo oferecido um banquete, seu sentimento era de falta, escassez, incompletude.

As mulheres do chá não ajudavam muito, pois sempre saíam falando de alguma coisa naquela competição tóxica. "Fulana saiu dizendo que seu chá não foi bom, seu apartamento é muito pequeno e ela precisou ficar em pé." Essa era uma das falas que mais a machucava. De fato, nosso apartamento era pequeno e foi motivo de muitas brigas com meu pai, "que gastava o dinheiro com mulher na rua". Se as mulheres do chá saíssem dizendo que a comida não era boa, ela ficava brava e respondia à altura, pois era extremamente confiante em seus dotes culinários. Se reclamassem do cheiro do Varsol, Erani retrucaria dizendo que elas não se preocupavam com limpeza como ela. Sobre o tamanho do apartamento, porém, ela não tinha resposta.

Foram várias as vezes que minha mãe desejou um lugar maior, uma casa mais confortável, mas meu pai estava ocupado com outras coisas. Ela fez o que podia para manter a casa o mais confortável possível, embora soubesse que parte do dinheiro não chegava por causa das ligações escusas que meu pai recebia de madrugada. Ele era a figura central de sua raiva, embora "as mulheres da rua" fossem o motivo de briga. Minha mãe acreditava que as mulheres do chá falavam pelas suas costas porque as mulheres da rua tomavam o dinheiro do meu pai. É um ciclo de auto-ódio que chega para nós pelo cordão umbilical. Como dois funcionários de empresas concorrentes que brigam, disputam qual empresa é a melhor e não percebem que estão servindo ao mesmo senhor.

Para amenizar a situação, meu pai fazia promessas. Se minha mãe dizia que queria viajar, que gostaria de sua companhia para comprar algo para a casa, a resposta era quase sempre um "um dia, querida, nós vamos" ou "eu te levo lá". Quando pensava em partir, o som daquelas palavras a perturbava, e ela ficava.

Toda a força que ela poderia ter encontrado para ser seu próprio guia perdia-se naquela esperança. Cada remo jogado ao mar, cada não saída do porto, cada voo cancelado. Tudo por causa de um "eu te levo lá". O que ela não lembrava é que, na mesma frase, havia sempre o complemento "vou comprar cerveja". "Eu te levo lá, mas agora vou comprar cerveja". A importância à frase quem deu foi ela, foi ela que transformou em sonho palavras corriqueiras ditas num dia quente e fez delas um compromisso firmado para a vida inteira. Mas o que ela podia fazer? "Ruim com ele, pior sem ele". Uma vida da eterna espera, da crença no homem que pode ser mudado por amor.

Entre as muitas coisas que minha mãe me ensinou, algumas talvez não tenham sido intencionais. Desde muito cedo, eu sabia que não queria viver um casamento como o dos meus pais. Não queria gritos, brigas, o casamento como expressão hierárquica do amor. Nunca quis amar em orações subordinadas. Penso que um pouco do meu horror ao serviço doméstico tem a ver com o que vi dentro de casa. Eu não queria ter que fazer jantar todos os dias e, em algumas noites, esperar por alguém que não vem. Passar e engomar camisas, saber o que é vinco de uma calça de linho e gastar horas da minha vida com isso. Tomei tamanha ojeriza das tarefas ligadas ao lar que por muito tempo neguei que gostava de cuidar de plantas e fazer coisas que foram determinadas como femininas. Eu tinha pavor de ser "mulherzinha", de precisar conversar sobre frivolidades. Com o tempo percebi que o problema não eram as coisas ditas femininas, mas sim a fixação nesse lugar, ou melhor, a hierarquização dessas tarefas — o fato de as "coisas de mulher" serem consideradas menores e menos valorizadas socialmente, quando, na verdade, são essenciais na vida de todas as pessoas.

A arrogância masculina faz com que se negue ou menospreze tarefas que são fundamentais. Não amo cozinhar ou cuidar da casa, vó, mas cuido para não reproduzir o olhar masculino sobre isso, pois seria desconsiderar o papel fundamental de vocês duas na minha vida. Sigo criticando essa mão que impõe, mas quando penso a partir das referências das deusas iorubá, percebo que há várias formas de ser mulher e mãe, incluindo aquelas que não quiseram maternar. E admiro quem sabe arrumar bem uma casa e cozinhar. E me identifico com Iansã, sem deixar de admirar Oxum.

Meu pai foi um grande incentivador dos meus estudos, mas era minha mãe quem levava eu e meus irmãos para a escola. Foi ela que nos ensinou a pegar ônibus para que pudéssemos ir às nossas atividades. Foi ela quem lavou e engomou nossos uniformes e penteou nossos cabelos de forma impecável para que fôssemos bem arrumados para a escola. Acima de tudo, foi ela quem me ensinou a enfrentar a vida de cabeça erguida. Porque não basta somente incentivar aos estudos, era preciso ter alguém que também incentivasse a andar com a espinha ereta. O racismo poderia ter feito com que eu desistisse de muitas coisas na minha vida, não foi fácil ser a única aluna negra na escola de inglês, a medalhista no campeonato de xadrez; eu poderia ter o conhecimento, mas não ter a coragem. E sendo mulher negra é preciso ter os dois.

Vó, eu me casei com o homem que, num baile, quando alguém lhe perguntou se podia dançar comigo, respondeu: "Isso você tem que perguntar a ela".

Quando conheci o pai da minha filha, Donald, meus pais já haviam falecido, eu trabalhava na Casa de Cultura da Mulher Negra e cursava Jornalismo. Eu tinha vinte e dois anos, ele vinte e oito. Fiquei perdidamente apaixonada, apesar das dificuldades do início do namoro. Sua ex-namorada não aceitava o término. Enquanto ela estava somente atrás dele, não me importei, era do jogo, cabia a ele resolver a situação. Porém, ela passou a me perseguir: passava trotes na minha casa e no trabalho, me seguia na rua. A situação ficou insustentável quando, ao final de uma reunião do Movimento Negro Jovem, grupo de ativismo que nós dois fazíamos parte, ela tentou me agredir.

Desde as baladas do Bar do 3, eu achava desprezível mulheres brigarem por causa de homem. Naquele momento, apesar de toda a baixaria da situação e do ódio que senti, não a agredi fisicamente. Ela, porém, não se controlava, e chegou a ponto de cuspir na minha cara. Fiquei transtornada e, se algumas amigas não tivessem separado, provavelmente eu teria dado uns bons tapas nela.

Como não fui criada para colocar um homem acima de tudo, sobretudo da minha dignidade, terminei o breve namoro. Chamei Donald até minha casa e disse que não ficaríamos mais juntos enquanto ele não resolvesse aquela situação; que os últimos anos haviam sido difíceis pra mim por conta da perda dos meus pais e que eu não merecia viver um transtorno daquele. Lembro exatamente das palavras, da música que tocava baixinho no rádio, da surpresa dele ao me ver tomando aquela decisão. "Ela é sua ex-namorada, não quero ficar no meio de uma situação como essa. Se você se resolver, me procure", eu disse.

Passado um tempo, eu estava no Rio de Janeiro a trabalho e liguei para casa. Soube por Dara que Donald telefonava sem parar, perguntando de mim. Ela havia lhe dito que eu estava viajando, mas não adiantou, ele continuava tentando. Autorizei, então, que ela passasse meu número, e logo ele me ligou. Sua voz estava diferente, terna. Queria saber quando eu voltaria, disse que estava com saudades.

No dia que cheguei de viagem, Donald passou em casa para me ver. Quando abri o portão do prédio e o vi encostado do lado de fora no carro, segurando um embrulho na mão, meu coração disparou. Geralmente ele não saía do carro quando ia me buscar, só destrancava a porta por dentro. Quando o vi ali, em pé, percebi que as coisas estavam diferentes. Ele me abraçou com carinho e me entregou o presente, um perfume francês que se tornou meu favorito durante muitos anos.

Foi um período de namoro tranquilo. Logo eu estava jantando na casa dos pais dele, conhecendo toda a família. Pela primeira vez eu considerava que tinha um namorado de verdade — de andar de mãos dadas, usar aliança, frequentar a casa da família, fazer planos juntos. Eu nos via como um casal bonito, dois jovens negros com consciência racial, com ideias de mudar o mundo. Por mais que tempos depois ele tenha confessado que os momentos de fúria da ex-namorada tinham sido potencializados porque ele ainda ficava com ela mesmo tendo começado a sair comigo, eu já estava apaixonada demais para voltar atrás — o máximo que fiz foi ficar alguns dias sem falar com ele, vó. Ele prometeu que seria sincero dali em diante e assim foi. Eu praticamente não tinha experiência sexual, sentia vergonha do meu corpo magérrimo.

Quando passamos a ter uma vida sexual ativa, fui ao ginecologista conversar sobre métodos anticoncepcionais. Ele me receitou a pílula, mas não deu certo, meu organismo não se adaptou. Eu vomitava, ficava de cama. Então o ginecologista receitou um adesivo, que não adiantou muito, me fez passar mal também. Nesse intervalo entre encontrar um anticoncepcional e me ajustar a ele, engravidei. Demorei a perceber do que se tratava, achava que os vômitos tinham relação com os remédios. Mas os enjoos não passavam, a menstruação atrasou.

    Donald e eu fomos até a Santa Casa fazer o teste. Tirei sangue e aguardei. Lembro do meu medo, da sensação de angústia, do desespero em sentir que o resultado seria positivo. Quando o médico me chamou, eu disse a Donald que queria ir sozinha. Ao entrar na sala, ouvi um entusiasmado "Parabéns, mamãe!". Eu não senti o chão, quase desfaleci em cima da cadeira e desabei a chorar. Um choro de medo e desespero. O médico levantou para me acalmar, dizia que este era o sonho de muitas mulheres, que eu daria conta. Nesse momento, Donald entrou na sala e também tentou me acalmar.

    Eu tinha vinte e três anos, queria namorar, sonhava e fantasiava com o amor. Mas também queria ver o mundo, ir para outros lugares, conhecer outras culturas. Queria visitar novas cidades, viajar mais de avião, me aventurar.

    Sempre tive como meta estudar e trabalhar, como meu pai havia exigido, e as coisas não haviam saído como eu planejara. O que eu faria grávida, sem diploma, endividada e sem condições de me sustentar? O que minha mãe diria, se estivesse viva? Ai, vó, como eu senti falta do colo de vocês, como eu queria que estivessem comigo naquele momento, mesmo que fosse para me dar bronca.

    Enquanto caminhávamos de volta para o carro, o silêncio foi absoluto. Ao andar por aqueles corredores tão conhecidos pra mim, eu chorava e lamentava mentalmente. Minha mãe e meu pai haviam morrido naquele mesmo hospital e foi ali, naquelas mesmas estruturas, que eu receberia a notícia que mudaria minha vida para sempre. Ao entrar no carro, eu quebrei o silêncio ao dizer que não gostaria de ter aquele filho. Donald disse que apoiaria a minha decisão, mas me orientou a pensar.

Ele já completara trinta anos, estava formado em educação física e estabelecido na vida como professor de inglês. Seu pai fez carreira internacional como jogador de futebol e por isso ele havia morado na Europa e no Oriente Médio, conhecera dezenas de países, falava dois idiomas. Eu tinha vinte e três, passado as férias da infância em Piracicaba e morado a minha vida inteira na praça Coronel Fernando Prestes, em Santos. Eu não me sentia pronta para gerar outro ser humano. Como eu estava muito nervosa, falei que pensaria e o proibi de contar para sua família, uma vez que eu estava passando um tempo lá. Quando chegamos, fomos direto para o quarto dele e lá ficamos acordados por horas, conversando baixo e só sendo interrompidos quando eu corria para o banheiro para vomitar.

Passados alguns dias, Donald contou para a mãe dele, Vera. Ela disse que apoiaria a minha decisão, mas que aconselhava que eu tivesse a criança, ela e a família ajudariam. Na mesma noite, Donald falou que queria ser pai e acreditava que aquele era um bom momento. Eu fui me sentindo acolhida, mas ainda não havia me decidido. Com o tempo, eu fui invadida por um amor inexplicável. Acordei uma noite e senti que teria aquela criança. Até hoje não consigo descrever essa sensação, só sei que senti uma paz sem tamanho.

Tinha certeza de que era menina e se chamaria Thulane, "a pacífica" em swahili, nome que descobri no mesmo jornal da militância negra em que meu pai encontrou o meu, o *Jornegro*.

Thulane nasceu em 8 de março de 2005, de parto normal. Foram nove meses tranquilos, mas você e minha mãe fizeram muita falta. Eu estava morando na casa dos meus sogros e a bebê parecia ter tanta pressa que quase nasceu em casa. Comecei a sentir as contrações, ligamos para meu médico e fomos para a Santa Casa. Logo que chegamos, minha bolsa estourou. Fui levada às pressas para a sala de parto e, após meia hora, ela nasceu.

Assim como você e minha mãe, não tive dificuldades para parir e amamentar. Tudo me pareceu muito tranquilo, vó. Tinha muito leite — igual minha mãe que, por conta da fartura, amamentou duas gêmeas, filhas de um casal vizinho, na ocasião do nascimento do Denis. Algumas vezes chorei por pensar que vocês não conheceriam a bisneta e neta e que Thulane tampouco conheceria o colo de Antônia e de Erani. Por sorte ela teve, e ainda tem, o colo da avó paterna.

Foi triste pensar que minha filha não se reconheceria nos olhos de vocês, que não seria benzida pela bisavó. Eu tinha medo de esquecer o que deveria ensiná-la, de ser sugada para uma vida sem rezas pra cobreiro nem álcool com arnica. Não me identificava com as mães do parquinho, e muitas me achavam louca quando eu perguntava se elas conheciam alguma benzedeira.

Fui tragada para a vida do Donald e da família dele, pois me sentia sem referências. Não que fosse ruim, mas me senti sem identidade, tratada como se minha família não existisse. E eu lutava para não esquecer de contar para Thulane tudo sobre a nossa família.

Quando ela completou dez meses, nós alugamos um apartamento pequeno no mesmo bairro dos meus sogros. Por mais que fosse bom ter apoio por perto, eu queria educar a minha filha com o pai, sem interferências diretas. E precisávamos de privacidade. Era um apartamento de um quarto, que coube à Thulane. Nós dormíamos na sala, em um sofá-cama. Achava importante que ela tivesse uma rotina, com hora pra dormir, comer e brincar. Ter um quarto só pra ela significava que isso podia ser feito.

Sabe, vó, eu sentia vergonha por não ter uma profissão. Quando levava Thulane ao pediatra, eu era a mãe, mãezinha. Pra família do Donald, eu era a mulher dele. Isso deveria bastar, eu pensava, mas não bastava, nem de longe. E eu me sentia ingrata por não me sentir completa, por desejar horas de sono sem interrupção, por querer sair para tomar cerveja com as minhas amigas. O primeiro ano de Thulane foi muito difícil pra mim. Eu fazia tudo o que era necessário, cuidava dela com todo o meu amor, mas não tinha ninguém pra me render enquanto eu desse um longo passeio sozinha.

Amava aquele ser humano pequeno, mas não me sentia inteira sendo alguém que precisava dormir pensando no que ia cozinhar no dia seguinte. Donald participava o máximo que podia, mas trabalhava fora dez horas por dia e eu precisava me ocupar dos afazeres domésticos. Passava o dia sozinha entre trocas de fraldas e a próxima amamentação. Mesmo infeliz, amamentei integralmente até os seis meses, preparei papinhas com legumes frescos, li sobre educação de filhos, mantive uma rotina bem organizada. Fiz o que pude.

Após muito procurar, encontrei uma benzedeira que atendia no Canal 5, no bairro da Aparecida, em Santos. Você ficará feliz em saber que levei Thulane algumas vezes lá e, em todas as vezes, eu sentia como se você estivesse ao meu lado. Eu sentia falta da minha mãe quando levava Thulane para tomar vacinas e me perguntava se saberia utilizar a técnica dela. Eu queria que ela estivesse se intrometendo na criação da minha filha do mesmo jeito que você se intrometeu na minha.

Eu gosto de mostrar fotos suas e da minha mãe pra ela e de contar histórias engraçadas sobre vocês, para que sempre estejam próximas de alguma maneira. Eu repudiava fortemente quando as pessoas diziam "Djamila não tem mãe, não tem avó", porque eu tenho, sim, elas só não estão mais nesse plano. Dizer que eu não tenho avó é negar a sua influência na minha vida, o amor que me protegeu e curou, é negar parte de mim.

Há uma enorme diferença entre acostumar-se e aceitar. Passei a aceitar sua ausência física e carregar sua força, e falo de você com lágrimas de alegria e gratidão pela oportunidade do encontro, mas nunca me acostumei com sua ausência.

Quando Thulane tinha seis meses, ela teve uma infecção urinária. Eu a levei ao pediatra e ele receitou antibióticos. Ela teve uma reação forte, com vômitos e diarreias e eu não tive dúvidas: levei-a a uma homeopata, negra. Eu queria que minha filha tivesse contato com mulheres negras. Ela tinha na família do pai, claro, e na minha, mas eu sentia que era preciso mais. E foi ótimo, a médica era incrível e Thulane ficou sob os cuidados dela até os três anos, quando passei a trabalhar numa empresa portuária e o plano de saúde não cobria o consultório dela.

Frequentemente eu ia à casa das minhas amigas negras, em especial, à da minha grande amiga Flávia, que junto da mãe mimava muito a Thulane. Eu queria que minha filha fosse amada por mulheres como eu, que ela se sentisse preenchida de amor. Conviver com pessoas negras, num círculo de amor, era uma maneira de cuidar da saúde dela.

Thulane e eu desenvolvemos uma relação muito próxima e intensa. Quando eu precisava ir ao mercado, por exemplo, e a deixava alguns minutos com a avó, ela chorava ininterruptamente até eu voltar. Mesmo quando o pai chegava do trabalho e eu pedia pra ele cuidar dela enquanto eu tomava um banho, ela chorava. Muitas vezes precisei colocá-la no carrinho e levá-la para o banheiro comigo. Não conseguia ler um livro, assistir a um programa que não fosse infantil, exceto quando Thulane dormia. Mas aí eu já estava tão exausta da rotina que aproveitava para descansar.

Minha vida era toda voltada para a maternidade, vó. Thulane estava ótima, saudável, crescia em um ambiente seguro, amada e eu me sentia feliz por isso, pelo fato de uma criança negra poder ter conforto, pais presentes, uma família afetuosa. Mas, ao mesmo tempo, eu me sentia sozinha, culpada por não estar plenamente feliz, por não poder ligar chorando pra minha mãe e desabafar, por não poder abraçar meu pai e confessar que ele tinha razão, que, de fato, eu havia sido criada para ser uma alma independente.

Eu queria mais do que a vida me dava naquele momento, vó. Não me identificava com quem sonhava apenas com um carro novo. Detestava ter que conversar somente sobre maternidade. Eu não queria falar só sobre desenhos animados e pediatras, aulas de musicalização infantil e quando teria um outro filho. Eu não lia revistas que vendiam manchetes como "lute pelo seu amor, não abra mão do seu homem". Eu não queria ficar apenas no quarto ou na cozinha. Era desesperador me ver presa em muitos tentáculos que fingiam não ver que eu era diferente. Eu não julgava quem se identificasse, mas era julgada por não me identificar.

Sonhava em ter você e minha mãe disputando quem ficaria com Thulane para que eu pudesse andar na praia sossegada. Eram raros os momentos em que eu podia contar com alguém para isso — a avó paterna trabalhava fora e foram poucas as vezes em que pôde me ajudar nesse sentido. Eu amava ser mãe, mas odiava o papel que a maternidade me impunha. Admirava uma vizinha, mãe solo, que vivia sem se importar com os outros. Deixava a filha com a mãe e saía com as amigas, voltava de madrugada. Entre uma mamadeira e uma canção de ninar, eu a admirava. Ela enfrentava tudo, vizinhos intrometidos, conselhos não requisitados, nem que fosse para sentir um resquício da vida pós-maternidade. E fazia daquele resquício um oceano. Não aceitava o clima de velório permanente, uma espécie de "morte viva".

Algumas mulheres me achavam louca por não me sentir preenchida com a maternidade e a vida de casada. Amava ser mãe, como já disse, mas detestava o que se entendia por maternidade: a abdicação da nossa existência como sujeito. Tinha trancado faculdade quando engravidei, agora estava desempregada e dependia exclusivamente do meu marido. De alguma forma, sentia que traía o que meu pai me ensinou.

Não me sentia plena naquela situação, estava deslocada no mundo. Parecia que aquele seria o fim da linha pra mim, jamais saberia o que é realização profissional ou o prazer de ter um diploma. O que eu mais ouvia, quando levava Thulane ao médico ou às reuniões de família, era: "Quando vai ter o segundo?", "Tem que ter outro logo, assim já cria os dois juntos". E tudo soava como uma penitência, e não o prazer de conceber. Ter outro filho não estava nos meus planos. O que eu queria era estudar, fazer algo que pudesse dar orgulho a mim e à minha filha.

Estava me sentindo sem rumo, sem colo, e um dia, em total desespero, me ajoelhei e pedi para as forças maiores que me dessem uma luz. Estava ficando deprimida e queria entender que caminho seguir. Quando se está perdida, qualquer saída pode soar sedutora, e eu não queria qualquer coisa. Acendi uma vela, como você me ensinou, vó, e rezei.

Dias depois sonhei com meus pais. Eles diziam estar felizes por ver que eu havia me tornado uma pessoa ética e com valores. Minha mãe me chamava de "meu bebê", como costumava fazer, e, acima de tudo, me aconselhava a cuidar do espírito. Meu pai me pedia para perdoar a namorada dele, uma vez que foi difícil nossa convivência no momento da doença dele. Acordei aos prantos.

A partir daquele dia, 5 de dezembro de 2006, as coisas começaram a mudar e eu parei de me acovardar diante da vida. Dois meses depois, estava empregada.

Thulane tinha acabado de completar três anos e eu trabalhava numa empresa do porto. A geração do meu pai foi a última de estivadores antes da privatização, coisa contra a qual meu pai lutou de forma contundente. Lembro de acompanhá-lo nas manifestações quando criança, para repetir o que os sindicalistas gritavam: "O porto é do povo, o porto é do povo!". Não fazia a mínima ideia do que aquilo significava, mas meu pai sempre fez questão de nos envolver politicamente.

Adorava ir às manifestações principalmente porque, ao final, meu pai nos levava ao Pastel Carioca, uma pastelaria tradicional no centro de Santos. Também guardo memórias carinhosas das idas ao Sindicato dos Estivadores para ajudar a envelopar informes sobre a Chapa da qual meu pai era diretor, ou das idas ao Partido Comunista. Apesar de algumas tarefas serem chatas para uma criança, tudo acabaria em pastel depois.

Adorava quando as pessoas me abordavam na rua e perguntavam: "Você é a filha do Joaquinzinho, diretor do sindicato?", e eu sempre respondia orgulhosamente que sim. Trabalhar ali no porto me trazia muitas lembranças.

Entre uma busca e outra aqui na internet, descobri que haviam construído um campus de humanas da Universidade Federal de São Paulo. Ficava em Guarulhos, mas achei que podia ser interessante tentar, sobretudo quando vi que havia curso de Filosofia. Descobrir aquele curso foi como despertar. Lembrei das vezes em que meu pai leu livros de filosofia pra mim, da estante velha de mogno que ficava em seu quarto, das muitas obras que fui obrigada a ler. Lembrei que eu gostava de estudar, dos anos em que trabalhei na Casa de Cultura da Mulher Negra, uma organização feminista negra, um divisor de águas na minha vida. Também me veio à memória a biblioteca Carolina Maria de Jesus, com os livros de bell hooks e os artigos de Sueli Carneiro. Fui invadida por aquele mesmo sentimento que tive quando ganhei *As novas vestes do rei* do meu pai. Olhar aquele aviso de inscrição para o vestibular foi como ver uma faísca de algo que eu já havia sido.

Lembro exatamente que o prazo final de inscrição seria na sexta-feira daquela semana. Nos meus horários de almoço, namorava aquela informação. A sexta-feira chegou e, apesar de ter ensaiado ir ao banco no meu horário de almoço para pagar a inscrição, tive medo. Terminei o expediente, bati o ponto e fui pra casa. Passei o fim de semana sonhando com aquela informação enquanto cozinhava e ensinava minha filha a usar o banheiro.

Na segunda-feira seguinte, resignada, voltei ao trabalho. Evitei navegar na internet, não queria ter que me confrontar com a minha fraqueza, mas em um momento livre voltei ao site da universidade. Qual foi minha surpresa quando vi que as inscrições haviam sido prorrogadas mais uma semana. Só podia ser um sinal, pensei. Mesmo assim, passei a semana apreensiva, questionando se deveria ou não me inscrever.

Quando a sexta-feira chegou, eu precisava novamente tomar uma decisão. Imprimi o boleto sem que os outros funcionários vissem — não era permitido imprimir coisas pessoais — e saí para almoçar. Na volta, tomei coragem e passei no banco. O valor que eu tinha na conta era exatamente o valor da inscrição. Paguei, não disse nada a ninguém, e aguardei o dia da prova. Era uma época pré-Enem, seriam três dias de provas e eu precisaria me ausentar do trabalho. Conversei com o meu chefe e ele me liberou no período da tarde durante os três dias seguintes. Em casa, eu disse que havia ganhado a inscrição do pessoal da Educafro, cursinho pré-vestibular para jovens de comunidades periféricas do qual fui coordenadora de núcleo por anos. Minha justificativa era que eu iria fazer a prova para incentivar os alunos. Eu sabia que não poderia dizer que tinha intenção real de cursar Filosofia em Guarulhos, e não queria adiantar problemas — eu poderia não passar e essa conversa nunca precisaria ocorrer. Fazia mais de dez anos que havia terminado o ensino médio e se zerasse alguma questão, seria automaticamente desclassificada.

Até aquele momento, eu tinha contado sobre meus planos para três pessoas: Vivi, Cleide e Jaque, minhas companheiras de trabalho. Eu era secretária do diretor da empresa e de dois gerentes. Vivi trabalhava no almoxarifado e Cleide e Jaque na limpeza. Nós nos tornamos inseparáveis, saíamos juntas, sempre sentávamos na mesma mesa nos eventos da empresa. Elas foram meu porto seguro naquele momento, me incentivando, dizendo que eu deveria fazer o curso caso passasse. No dia em que o resultado seria divulgado, elas apareciam na minha sala de vez em quando para me perguntar se já havia saído. Com o coração disparado, acessei o site da universidade. Ao ver meu nome na lista de aprovados, tive uma sensação ambígua: fiquei feliz por ter conseguido, mas ao mesmo tempo nervosa, temia não poder fazer o curso. Enquanto Vivi, Cleide e Jaque comemoravam, eu pensava: "Passei, e agora?".

Eu tinha alguns dias para me decidir, até a data da matrícula. Nesses dias, quando eu saía do trabalho, eu ia caminhar pela orla da praia, perto do mar. Ficava pensando que se vocês fossem vivas, não me deixariam sequer cogitar não estudar, brigariam pra ver quem cuidaria da Thulane. Você foi empregada doméstica, minha mãe foi empregada doméstica. Minha entrada na faculdade de Filosofia romperia com um ciclo de exclusão.

Chorei muitas vezes enquanto passeava olhando o

mar, querendo que minhas lágrimas se confundissem com o infinito.

Um dia, fui levar minha filha ao Aquário. Enquanto ela corria encantada vendo os peixes e algas marinhas, eu pensava em qual decisão tomar. Em dado momento, avistei as arraias em um aquário muito grande. Enormes e belas, nadando lindamente. Fiquei hipnotizada por alguns minutos assistindo àquela cena, encantada com as grandes barbatanas que pareciam asas. Enquanto nadavam, pareciam voar. Após um tempo, concluí que, apesar da beleza do ato, por mais que o nado simulasse um lindo voo, nas condições em que se encontravam elas somente poderiam voar dentro das dimensões do aquário. Havia quem as alimentasse, quem cuidasse delas, e isso poderia fazê-las acreditar que estavam seguras, no melhor lugar possível. Mas o lugar delas era o mar.

No dia que tomei a decisão, lembro de ter dito em casa: "Minha avó não teve oportunidade de estudar, minha mãe não teve oportunidade de estudar. Eu estou quebrando esse ciclo agora!". De alguma maneira, sei que vocês estavam ali comigo, me encorajando a tomar uma das melhores decisões na minha vida, para espanto daqueles que julgavam que era incompatível ser mãe e estudar numa outra cidade — cheguei a ouvir de uma pessoa da família do Donald que eu já tinha provado que era inteligente ao passar, e não precisava ir estudar.

O próximo passo seria contar no trabalho. Fiquei ensaiando idas e vindas ao escritório do gerente. Até que um dia, Vivi me olhou e disse: "Chega, Djamila, você vai contar agora". Nervosa, fui até ele. Contei dos meus planos, perguntei se ele poderia me mandar embora para que eu recebesse seguro-desemprego, porque era fundamental eu conseguir me sustentar, ao menos nos primeiros meses. O gerente disse que se eu fosse estudar Logística, ele certamente poderia me ajudar, pois eu estaria no ramo da empresa. Mas por que Filosofia? Eu iria passar fome e teria que vender brincos na praia para sobreviver, ele vaticinou. "É um sonho sem sentido. Veja, meu sonho era ser médico, mas não consegui realizar, então cursei Administração de Empresas e hoje trabalho aqui. Nem sempre é possível fazer o que se quer."

Essa última frase soou como uma afronta. Como se eu não soubesse, como se as mulheres da minha família não soubessem, como o fato de vir de uma linhagem de empregadas domésticas não tivesse me ensinado que não podemos fazer o que a gente quer. Minha mãe gostaria de ter sido jogadora de basquete, você, eu não sei, vó, não tive a oportunidade de perguntar, mas eu tenho certeza de que você não gostaria de ter tido sua infância roubada para trabalhar fora. Como se as pessoas negras, historicamente, não soubessem que não é possível fazer o que se quer por conta do racismo, que mata não apenas sonhos, mas vidas. Ele, um homem branco privilegiado, cujo rosto continha os traços do poder, estava me dizendo que não era possível fazer o que eu queria. Minha vontade foi responder: "Ora, se você, mesmo privilegiado, não conseguiu fazer o que queria, o problema é seu, não acha? Por que quer democratizar frustações?".

Engoli o meu ímpeto típico de dona Erani e, com um

sorriso falso, disse que não me importaria de vender brincos na praia. Ele não quis me mandar embora, disse que eu precisava treinar uma nova pessoa para o meu lugar e que, por ora, eu poderia sair do trabalho mais cedo, às 17h, para ir à faculdade. O que ele não havia entendido é que a faculdade ficava a três horas e meia de Santos.

Fiz isso nos primeiros meses, e você pode imaginar o meu cansaço. Chegava em Santos de madrugada, acordava às 6h, levava minha filha para a escola, ia trabalhar, saía às 17h, chegava na faculdade às 20h30, 21h, para começar tudo outra vez. Até que um dia, ao chegar na faculdade mais uma vez na hora do intervalo e perceber que não estava entendendo nada, pegando somente a parte final das aulas, desabei.

Estava me sentindo burra, não compreendia o que meus professores diziam, não conseguia acompanhar as aulas e entendi que precisava me dedicar inteiramente; era preciso sair do trabalho. Como o gerente se recusou a me mandar embora, pedi demissão. Eu só receberia o mês trabalhado e teria que me virar. Em casa, não foi fácil. Apesar de contrariado, Donald me ajudou. Passei a morar com Dara em São Paulo durante a semana e voltava às sextas-feiras para Santos, pois sempre tínhamos uma janela de aulas. Geralmente, eu ia às terças e voltava às sextas.

Fui obrigada a ouvir muitos absurdos de familiares e colegas de faculdade. Ninguém hesitava em dizer que eu havia "abandonado" minha filha com o pai — como se ele não fosse também responsável por ela. Também havia a pressão de ser a única aluna negra da turma, e intimidada por estar em um lugar feito para expulsar pessoas como eu.

Quando Thulane chorava de saudade de mim, faziam questão de me avisar em alto e bom som, e meu coração se apertava ainda mais. Como ler *Prolegômenos* de Kant consumida pela culpa? Até que um dia, no apartamento da minha irmã, comecei a chorar, pensando que eu era uma mãe ruim, que estava sendo egoísta. Dara olhou fundo nos meus olhos e falou com a voz firme, quase me dando uma bronca: "Para de chorar! Você está estudando, você não abandonou sua filha. Se a mãe fosse viva daria dois tapas na sua cara pra você acordar!".

Quando a gente passa parte da vida se torturando, se colocando pra baixo, se culpando, é difícil parar. A gente faz isso pelo hábito. Mas as palavras da minha irmã, naquele momento, me acordaram de um sono profundo. Depois de um tempo, quando Thulane dizia orgulhosa para suas amiguinhas "Quando crescer, vou estudar em São Paulo como a minha mãe", entendi a importância de mostrar a ela outras formas de maternidade. E, sim, vó, era mesmo capaz de dona Erani me dar dois tapas na cara se estivesse viva. Já você teria feito um bolo de chocolate ou um doce de abóbora e teria adoçado minha vida.

Foram anos complexos na faculdade, precisei ter ginga para estudar as autoras que me interessavam. Eu me deparei com um curso branco, masculino e eurocêntrico. Ouvi coisas como "não sei por que você está aqui queimando seus neurônios, poderia ser modelo", "você é passista de qual escola?", "deveria arrumar um gringo para casar, eles adoram mulheres como você", "vamos deixar a parte mais fácil do trabalho para as meninas do grupo", "o professor só te deu nota alta porque está a fim de você".

No primeiro ano de faculdade, eu conheci uma das minhas melhores amigas, Marília. Éramos das poucas mulheres da sala e nos apaixonamos uma pela outra no momento em que nos vimos pela primeira vez. Fomos obrigadas a compartilhar o desrespeito dos colegas homens, mas nós nos protegíamos e apoiávamos. Ter sua amizade me ajudou a enfrentar as dificuldades. Marília não achou nada de mais quando eu disse que era mãe e minha filha vivia em outra cidade. Nela encontrei a mesma força dos olhares cúmplices.

Na Unifesp, alguns colegas e eu fundamos o Mapô — Núcleo de Estudos de Gênero, Raça e Sexualidade — e organizamos muitos eventos acadêmicos sobre o tema. Essa iniciativa foi fundamental para que eu tivesse acesso a textos, para me fortalecer dentro daquele espaço. Não me identificava com um movimento estudantil majoritariamente branco e burguês, vinha de um lugar em que meus irmãos eram parados pela polícia pelo simples fato de existirem. Assim, ficava indignada por alguns integrantes do grupo se vangloriarem dos conflitos com a polícia quando estudantes em greve ocuparam a diretoria da faculdade. Estar com pessoas com os mesmos propósitos foi fundamental. Participei de muitos congressos, inscrevi trabalhos para apresentar tanto no Brasil quanto no exterior. Em 2011, descobri a Simone de Beauvoir Society, grupo formado por pesquisadoras de várias partes do mundo que estudavam o pensamento da filósofa francesa. A cada ano elas organizam uma conferência no país de uma das integrantes e senti que era uma oportunidade de diálogo, uma vez que não encontrava muitas interlocutoras no Brasil. Eu mesma traduzi parte da minha pesquisa de iniciação científica e a submeti para avaliação. Para minha surpresa, meu paper foi aceito, o que significaria apresentá-lo numa conferência na Universidade do Oregon, nos Estados Unidos.

Eu nunca havia saído do Brasil. Estava com trinta anos, no terceiro ano da faculdade e com todos os sonhos do mundo. Passaporte eu tinha, pois anos antes quase viajara para Angola a convite de um ex-chefe, quando fiz alguns freelas para a Liga dos Amigos e Estudantes de Angola. O problema era o visto americano. Como estava muito em cima da hora, não havia mais horários disponíveis para entrevista no consulado de São Paulo e do Rio, e o único possível seria o de Recife. Eu não tinha muito dinheiro para a passagem, mas após muita insistência, Donald concordou em me ajudar. Juntei todos os documentos necessários para a tal entrevista e fui.

Àquela altura fazia muito tempo que eu não andava de avião. Minha primeira vez fora aos vinte e dois anos, quando eu trabalhava na Casa de Cultura da Mulher Negra e fui ao Fórum Social Mundial que aconteceu em Porto Alegre. Não lembrava muito bem como afivelar o cinto de segurança e fiquei esperando o rapaz do lado fazer para eu imitar. Com medo e com o dinheiro contado, fui.

Ao chegar em Recife, fui direto para o consulado. Fiquei horas na fila sob um sol muito quente, e com um frio na barriga que quase me fez desmaiar. Por sorte a entrevista foi extremamente tranquila e consegui o visto. Meu voo de volta seria à noite, então fui para a praia de Boa Viagem ver o mar. Fiquei sentada por horas contemplando o horizonte enquanto sentia uma sensação única de felicidade. Eu iria para os Estados Unidos apresentar minha pesquisa, encontraria interlocutoras.

Na verdade, era um misto de felicidade e ansiedade. Eu não fazia ideia de como era uma viagem internacional, e estava ansiosa para descobrir. Peguei o último voo para São Paulo e cheguei a Guarulhos de madrugada. Como não tinha dinheiro para táxi e os ônibus só recomeçariam a rodar às quatro e meia da manhã, cochilei no aeroporto mesmo. Essa sensação de solidão foi triste. Mesmo casada, raramente havia alguém para me esperar. Eu sentia muito a sua falta, vó, da minha mãe também. Eu tinha certeza de que vocês, se vivas, jamais teriam deixado eu dormir no saguão de um aeroporto. Mas sobretudo eu não me sentiria sozinha nem culpada por querer estudar e ir além da vida que haviam desenhado pra mim. Chorei quieta enquanto buscava uma posição confortável no banco, prometendo a mim mesma que faria tudo valer a pena.

No dia da viagem para os Estados Unidos, fui sozinha até o aeroporto. Estava insegura, com medo, teria de me virar com o inglês que aprendi em alguns anos de curso. Observava o que as pessoas faziam para fazer igual, tentava passar a ideia de que estava acostumada com tudo aquilo, mas por dentro sentia um pavor enorme. Mesmo assim, ergui a cabeça e fui.

Ao chegar à primeira de duas conexões, em Portland, uma senhora norte-americana se aproximou. Disse que tinha me visto no aeroporto de Guarulhos e comentado com o marido o quanto eu era bonita. Começamos a conversar, ela me perguntou o que eu faria no país, e ao saber disse com orgulho que a Universidade do Oregon era incrível e me desejou tudo de bom.

Ao desembarcar em Eugene, descobri que minha mala havia sido extraviada. Eis que a simpática senhora prontamente se ofereceu para me ajudar, uma verdadeira salvação, pois eu não tinha inglês bom o bastante para me comunicar com o funcionário da companhia aérea. Ela me passou o telefone dela, dizendo para procurá-la se não entregassem minha mala no hotel ainda naquele dia: se necessário, ela compraria roupas pra mim (eu já havia lhe dito que estava com meus dólares contados). Mas não foi preciso, horas mais tarde minha mala chegou no hotel, e deixei um recado de gratidão na secretária eletrônica dela, que foi um anjo em meu caminho — nem sequer lembro seu nome, mas jamais esquecerei o que fez por mim.

Apesar da minha insegurança, o encontro na universidade foi muito rico e produtivo, me senti acolhida pelas pesquisadoras, sobretudo por Margaret A. Simons, a Peg, uma das maiores estudiosas do pensamento de Beauvoir. Ela me deu vários livros e orientou minha pesquisa para uma outra direção. Estava acostumada com a hostilidade da academia, com professores dizendo que eu era "a menina que estudava gênero" ou "que não estudava filosofia pura", até hoje me emociono só de lembrar daqueles dias em que fui tratada com carinho e respeito.

Essa experiência foi outro divisor de águas na minha vida, vó. Eu me senti forte para seguir e ir além: estudar as pesquisadoras negras. Quando concluí a graduação em 2012, com trinta e dois anos, já sabia o que faria no mestrado. Eu não pretendia mais olhar o mundo pelas frestas.

Quando passei no mestrado, aos trinta e três anos, senti uma diferença em mim, como se tivesse passado de fase. As coisas que me incomodavam muito deixaram de incomodar, e passei a entender o que de fato era importante na minha vida.

Decidi que participaria de mais eventos acadêmicos e, em 2013, um trabalho meu foi aceito para ser apresentado em um seminário na Universidade Nacional de La Plata, na Argentina. Foi minha segunda experiência internacional. Senti que seria necessário dialogar mais com outras epistemologias do Sul, de conhecer mais profundamente o pensamento das intelectuais feministas da América do Sul, uma vez que em minha formação isso me foi negado.

Fui de avião até Buenos Aires e, de lá, peguei um ônibus até La Plata. Foi uma experiência muito ruim, pois sofri muito assédio de homens na rua. "Brasileira", "mulata", "bonita", fui obrigada a escutar quando ainda estava em Buenos Aires. Ao chegar na cidade, foi infernal ter que lidar com pessoas na rua me parando para tocar nos meus cabelos, como se nunca tivessem visto uma pessoa negra, me senti num zoológico. Até me entender com o mapa e encontrar o hostel onde eu ficaria hospedada, vivi momentos horríveis, vó.

Quando finalmente cheguei no hostel, a recepcionista me abordou tocando nas minhas tranças. Estava tão irritada com o que havia passado na rua, que respondi: "Olha, precisa tomar um vinho antes pra achar que tem intimidade pra me tocar". Ela ficou sem graça e até o dia da minha saída me tratou com formalidade. Já na universidade, entre as colegas que participavam do evento, a recepção foi acolhedora. Apesar de ter dificuldades de falar o espanhol, compreendo bem e pude assistir a algumas das apresentações sem grandes problemas. O que aprendi ali ampliou o meu olhar em relação ao debate feminista.

No dia da minha apresentação, dividi mesa com acadêmicas da Argentina, Bolívia, Venezuela. Meu trabalho foi bem recebido e gerou discussões interessantes. Não participei das festas pós-apresentações porque, infelizmente, não me sentia segura naquela cidade. Evitava andar nas ruas ou fazer qualquer coisa fora do hostel que não tivesse ligação com o evento. Como eu ainda teria alguns dias até o meu voo de volta, quando o seminário acabou, eu decidi pegar um ônibus e ir até Mar del Plata.

Sempre quis conhecer outros países e cidades e me pareceu uma ótima oportunidade para explorar. Lembro da minha alegria em pegar um daqueles ônibus de dois andares e de ir olhando a estrada enquanto seguíamos viagem. Foi uma sensação de liberdade inexplicável. Queria poder aproveitar, nem que por dois dias, o máximo daquela viagem e daquele tempo sozinha. Assim que cheguei, deixei a mala no hotel e fui andar pela cidade. Caminhei pelas praias até escurecer, sentindo a brisa do mar. No dia seguinte, saí cedo para andar sem rumo e sem pressa. Foram apenas dois dias naquela cidade, mas senti que ali colei minhas asas, do mesmo modo como minha mãe deve ter sentido quando Dara e eu compreendemos os motivos pelos quais ela fora tão bruta durante nossa infância. Precisei lidar com o assédio novamente quando retornei a Buenos Aires para pegar o voo de volta para o Brasil, mas nada me tirou aquele sentimento de liberdade.

No ano seguinte, em 2014, participei de mais uma edição da Simone de Beauvoir Society Conference, que aconteceu em Saint Louis, no Missouri, a cidade natal de Margaret A. Simons. Eu havia conseguido bolsa da Fapesp durante o mestrado e as coisas ficaram mais fáceis, pois havia subsídios para viagens acadêmicas como essa. Foi a terceira vez que saí do Brasil.

Percebe, vó, as primeiras experiências internacionais vieram por causa da universidade, ou seja, até aquele momento eu ainda não havia viajado para fora pra descansar ou simplesmente por lazer. Então decidi que dessa vez eu teria a diversão antes. Como as passagens para Saint Louis estavam muito caras e ultrapassavam o valor que a Fapesp disponibilizava, resolvi pesquisar se havia trens para lá saindo de Chicago, uma cidade que eu sempre quis conhecer por seus tradicionais bares de blues, sobretudo o Blues Chicago.

Eu amo blues e jazz e já cheguei a ficar horas pesquisando sobre o Blues Chicago, um dos primeiros bares a contratar mulheres para cantar. Para minha alegria, não só havia trem, como cabia no orçamento. Como precisava economizar, escolhi o quarto mais barato de um hostel perto do bar. Por uma noite, dividi o quarto com outras nove pessoas, todas desconhecidas. Mas tudo bem, eu realizaria um sonho.

Assim que cheguei em Chicago, saí para explorar a cidade. Fui até a Willis Tower, um dos prédios mais altos da cidade e um dos principais pontos turísticos. Andei bastante, fiz fotos, pedia informações na rua quando não entendia os mapas, e voltei para me arrumar para o grande momento. Ao chegar no quarto, encontrei uma moça sentada, mexendo em seu computador. Tentando fazer o mínimo de barulho possível para não incomodá-la, abri o meu armário e peguei minha mala. Foi quando vi que meu telefone estava ficando sem bateria e eu não tinha um adaptador de tomada para poder recarregá-lo. Precisei quebrar o silêncio e falar com ela, pois não havia a mínima possibilidade de eu ir ao Blues Chicago sem registrar aquele momento único.

Ao perceber meu sotaque, ela me perguntou de onde eu era e passamos a conversar. Ela se chamava Rosario, era peruana e fazia doutorado numa universidade americana. Para minha surpresa, ela também estudava teoria feminista e engatamos na conversa. Rosario estava de férias e havia decidido viajar pelos Estados Unidos de trem. Eu contei a ela o que estava fazendo lá, que participaria de uma conferência em Saint Louis, mas que havia aproveitado a oportunidade para conhecer o Blues Chicago. Ela desconhecia esse ritmo musical, mas aceitou meu convite para ir comigo. Fiquei muito feliz, pois além de Rosario ser agradável, não ficava corrigindo meu inglês como os norte-americanos faziam. E, sobretudo, porque seria bom ter uma companhia numa cidade grande e desconhecida.

Para economizar, fomos a pé. Seria uma caminhada de vinte e cinco minutos, mas quando estávamos na metade do trajeto fomos abordadas por um policial que nos questionou o que fazíamos ali àquela hora da noite. Ele nos aconselhou a não andar sozinhas ali, pois segundo ele seria muito perigoso. Não houve outro jeito, vó, tivemos que rachar um táxi.

Quando chegamos, minha alegria era contagiante. Lembro que, quando assistia aos vídeos sobre o Blues Chicago na internet, em um deles, aparecia um homem negro, com um vozeirão, e dizia algo como: "Bem-vindo ao Blues Chicago" e, em seguida, aparecia uma mulher cantando e dançando. Esse mesmo homem estava na porta cobrando a entrada. Fiquei fascinada quando o vi.

Quando o show começou, eu parecia estar em um sonho. Ao contrário de muitos bares de jazz no Brasil, em que as pessoas ficam sentadas bebendo, lá todos dançavam animados, embalados pela voz maravilhosa de Laretha Weathersby e banda. Eu dancei, cantei, gritei. Rosario foi totalmente tomada pela música e entrou no mesmo clima. Foi catártico. Ainda mais quando, em um momento do show, Laretha perguntou quem havia vindo de outros países. Rosario, eu e mais algumas pessoas levantaram as mãos, e fomos convidados a dançar com Laretha em frente ao palco. No final do show, tiramos foto com a banda, eu comprei o CD de Laretha e quando fomos ao banheiro vimos que havia uma parede na qual as pessoas escreviam seus nomes. Claro que decidimos registrar os nossos na história daquele lugar: "Djamila, do Brasil, e Rosario, do Peru, estiveram aqui".

No dia seguinte, ambas seguiram suas viagens e seus destinos. Rosario me explicou como ir à estação de trem andando e, apesar de estar com uma mala grande, assim fui para economizar. Ansiava viajar de trem fazia muito tempo. Minha única experiência fora quando criança, quando fomos de Santos a Mongaguá. Havia sido uma viagem incrível, minha mãe estava leve e feliz, praticamente não brigou com a gente e essas é uma das memórias mais doces da minha infância. Depois, o governo encerrou as viagens de trem daquele tipo. Hoje, em Santos, no local onde ficava a estação de trem, há um hipermercado.

Tudo parecia mágico pra mim. Ver o trem, andar até meu vagão, esperar ansiosa pela partida. Fiquei tirando fotos, enviando mensagens para as minhas amigas, relembrando os momentos no Blues Chicago. Durante a viagem, passamos por lugares muito pobres, muitos deles bairros negros. Quando cheguei em Saint Louis, resolvi pegar um táxi. O taxista era um senhor negro extremamente gentil e, ao perguntar de onde eu vinha, começou a fazer perguntas sobre o Brasil.

Lembro de ele ter ficado impressionado quando eu contei que o Brasil havia sido o último país das Américas a abolir a escravidão. Ele, como negro, contou sobre como foi difícil sua infância naquela cidade, que, apesar de ter avançado em algumas questões, ainda era muito racista. "Esse país foi fundado no racismo e isso infelizmente nunca mudará", disse. Ele me falou dos lugares que eu deveria conhecer, como o Observatório, e me contou mais da história da cidade e do arco enorme que foi construído ali para celebrar a reconquista. Quando estávamos perto do hotel onde eu ficaria, ele disse que as pessoas implicariam com o meu sotaque, mas que eu não deveria dar importância. Declarou também que discordava da política internacional americana, que foi contra a invasão no Iraque e finalizou:

"É duro dizer isso, mas nós somos burros. Nosso governo está matando as pessoas e a gente não liga. Enquanto estivermos comprando nossos aparelhos eletrônicos, nos entupindo de coisas que não precisamos, nós não nos revoltaremos. E isso me envergonha. Eu sou um americano antiamericano."

Nós nos despedimos, ele me deu seu cartão caso eu precisasse novamente de um táxi e lembro de ter entrado no hotel com aquele sorriso que a gente abre apenas quando pode conversar de igual para igual com alguém que tem uma visão crítica do mundo.

A conferência foi sensacional, eu apresentei parte da minha pesquisa de mestrado e fui, mais uma vez, recebida com muito carinho. Rever Margaret A. Simons foi uma experiência linda, e mais uma vez dividi o quarto com Deniz Durmuz, uma amiga turca que havia conhecido na conferência do Oregon. Dessa vez, a Beauvoir Society havia organizado o evento muito plural, em parceria com outros grupos, como o de Filosofia Africana da Universidade de Rhode Island, da Sartre Society, de grupos relacionados a pesquisas sobre feminismo negro.

Pude conhecer pessoas de várias parte do mundo, algumas que são minhas amigas até hoje. Formamos um grupo muito acolhedor e saímos pra conhecer os pontos turísticos que o gentil taxista havia me indicado. Um dia, as pessoas da organização do evento nos levaram para um bar sensacional, o BB'S Jazz Blues & Soups. Eu me lembro como se fosse hoje do quanto dancei aquela noite. Como estava me sentindo em um ambiente seguro, aproveitei cada segundo, vibrei com as músicas, vivi aquele momento da melhor maneira. Parecia a moça de vinte e um anos no Bar do 3, vó, suada, sem se importar com a maquiagem escorrendo, simplesmente sendo. Todas as pessoas do nosso grande grupo vibravam na mesma energia.

Na ida a Saint Louis, enquanto aguardava o trem, tirei uma foto minha olhando pela janela e postei numa rede social com a seguinte legenda: "A caminho de Saint Louis, no trem, entre a expectativa e a espera". Mas ali, naquele momento, aplaudindo efusivamente ao final de cada música, não existia mais expectativa, havia entrega. Eu não precisava fingir autenticidade, eu simplesmente podia sentir, deixar sair pelos meus poros todas as situações de angústia por não saber qual caminho seguir, deixar escorrer toda mágoa das coisas que não haviam sido, cada ressentimento pelas situações de solidão. Por um breve momento, olhei para o passado sem nostalgia, somente como contingências que me traziam ao agora. Quando ouvi a banda tocar uma canção de amor, me emocionei, mas não de tristeza por amores do passado ou por situações mal resolvidas no meu casamento. Foi um choro de alívio por eu, apesar de todas as pedras no caminho ou as pedras que me atiraram, não ter desistido de mim para poder estar ali, naquele lugar, naquele exato momento, no BB'S Jazz Blues & Soups, chorando por ouvir uma música despretensiosa de amor.

Aquela mulher de trinta e quatro anos se sentiu plena, como se as asas agora não precisassem mais ser coladas; elas sempre estiveram ali aguardando o momento do voo.

Após dias fantásticos, passei um susto na volta. Havia planejado a minha volta para Chicago no mesmo dia do voo para São Paulo. Eu me programei para sair com bastante antecedência e daria tempo de sobra para chegar em Chicago com calma e ir para o aeroporto. Porém, não contava com os atrasos dos trens nos Estados Unidos — que, descobri, eram muito comuns. Houve um atraso de quase quatro horas e eu, sem dinheiro, já imaginava o terror que seria caso perdesse o voo. Não tinha cartão de crédito, o que eu ganhava da Fapesp servia para pagar parte do aluguel em casa e para me manter estudando. Meu marido ficaria irritado, e eu precisaria passar alguns dias no aeroporto até que tudo pudesse se resolver.

Devo ter perguntado algumas dezenas de vezes para os funcionários do trem o que estava acontecendo, mas todas as respostas eram evasivas. Eu não tinha um plano telefônico internacional, o wi-fi do trem só funcionava em movimento, não tinha como avisar ou ligar na companhia aérea. Foram momentos muito tensos. Quando finalmente o trem partiu, a tensão não diminuiu. Eu não tinha dinheiro para pegar um táxi quando chegasse em Chicago, e eu havia planejado tudo sem contar com imprevistos. O que eu podia fazer era rezar e foi o que fiz.

Quando finalmente desci do trem, corri desesperada para a saída da estação. Eu não fazia a mínima ideia de qual transporte pegar para chegar no aeroporto, pois na ida para Chicago eu tinha ficado no hostel antes e tive tempo de me organizar. Assim que saí da estação, dei de cara com um ponto de ônibus. Assim que o primeiro apareceu, eu dei sinal para pedir informações para o motorista. Ele apontou para a direita dele e disse: "Ali fica a estação de metrô e tem um que vai direto para o aeroporto". Agradeci e voltei a correr, agora em direção ao metrô. Assim que cheguei lá, me peguei perdida com aquelas máquinas gigantes para comprar o bilhete. Estava tão nervosa que minhas mãos tremiam e não conseguia entender o que estava fazendo. De repente, uma funcionária se aproximou perguntando se eu precisava de ajuda. Contei a situação toda pra ela e perguntei como faria para chegar ao aeroporto. Ela falou para eu ter calma e, gentilmente, perguntou:

"De que lugar da África é esse sotaque lindo?"

"Não é da África, é do Brasil."

"Brasil! Então também é África, todos nós viemos de lá!"

No momento em que disse isso, uma das moedas que eu segurava caiu no chão:

"Está vendo, estamos saudando a nossa terra!"

Com muita calma e paciência, ela me explicou tudo: em qual plataforma eu deveria pegar o metrô, onde deveria descer e como fazer para chegar ao aeroporto. Agradeci emocionada e disse: "Espero que eu não perca o meu voo". "Não vai", ela me respondeu.

Fui rezando o caminho todo. Cheguei no aeroporto depois de o despacho de malas já ter sido encerrado — mas pelo menos o avião ainda não tinha partido. Por causa do atraso, minha bagagem precisou ser aberta por uma segurança grosseira, que tirou todos os cremes que eu havia comprado para minhas amigas com mais de 50 ml e tudo o que saía do padrão de uma mala de mão. Senti pelos cremes, mas fiquei feliz da vida por ter conseguido embarcar.

Passado o susto, já sentada no meu assento no avião, agradecendo a todos os orixás, fui entender o que havia acontecido. Antes da minha viagem, um amigo meu havia sonhado comigo. No sonho, ele e eu estávamos numa casa, vestidos com roupas brancas e segurando velas acesas na mão. Num dado momento, nós nos aproximávamos para colocar as velas em um altar. Depois eu saía e ficava esperando esse meu amigo do lado de fora da casa. Assim que ele me encontrava na calçada, ele dizia: "Um homem veio falar comigo e disse que você é a 'menina dos olhos de Ogum'". No momento em que ele me contou, eu achei lindo o sonho, mas não dei muita importância. Mas ali, após passar um susto tremendo, o sonho me veio à memória. O motorista do ônibus que me falou onde ficava a estação de metrô era um homem negro retinto que usava uma camisa azul-escura, a cor de Ogum. A senhora que me ajudou na estação de metrô e saudou a África havia dito confiante que eu não perderia o voo. Senti que não estive sozinha, que fui amparada o tempo todo. Você sempre me amparou, vó, tenho certeza de que minhas rezas foram atendidas e que minha linhagem feminina nunca me desamparou.

Sempre fico emocionada quando me lembro dessa história, do quanto vocês me ensinaram que Orixá é vivo. O babalorixá Sidnei Nogueira, um importante sacerdote brasileiro, diz que nós viemos da magia, que somos incomensuráveis como a África, que somos seres espirituais experimentando a matéria. Ao ouvir essas palavras dele, me lembrei de você, vó, das vezes que me livrou de perigos e com rezas me curou de doenças. Você foi o primeiro ser mágico do qual tenho memória. E foi sua magia que me trouxe até aqui.

Vó, essa talvez seja uma lembrança prosaica, mas vou te contar mesmo assim. Um dia em casa, em Santos, preparei um prato simples, rápido, porque, como disse, não suportava ter que cozinhar — ainda mais ter que perder muito tempo fazendo isso. Fiz arroz, peito de frango e completei com batata palha. Como éramos só Thulane e eu, se aquilo não fosse suficiente, eu fritaria um ovo ou comeria um lanche. Porém, de repente, Donald chegou para almoçar, e eu vi que não havia arroz o bastante. Eu disse, então, que iria ao mercado — na verdade era uma padaria que vendia alguns produtos — buscar mais alguma coisa. O dia estava agradável, o sol havia aparecido após dois longos dias chuvosos. Enquanto andava, sentia aquele sol de outono aquecendo meu rosto. Sóis de outono são na medida certa, nem verão, nem inverno.

Passei pela praça em que costumava levar minha filha, os bancos vazios me convidavam para sentar e apreciar mais o sol. Na padaria havia três marcas de arroz, mas somente em duas havia etiquetas com o preço. Hesitei e acabei pegando o pacote sem preço, na esperança de que fosse o mais barato. No caixa, vi que aquele arroz era dez centavos mais caro que os outros dois. Boa estratégia, pensei. Lembrei de minha mãe, que não aceitava receber troco em bala nem que o caixa deixasse de dar dez centavos de troco. "Por isso que eles estão ricos, de dez em dez", ela dizia.

Atravessei a rua e passei novamente pela praça, aproveitei mais um pouco do sol e quase aceitei o convite do banco. As folhas das árvores balançavam, as crianças brincavam no parque, mas eu tinha de fazer o arroz. Fui ao supermercado da esquina comprar mais filé de frango. Pedi ao rapaz do balcão da carne que cortasse o peito em cubos, para estrogonofe, e peguei mais um pacote de batata palha.

Eu me sentia tão leve que até a moça do caixa, que geralmente era indiferente a mim, me tratou bem. Enquanto ela passava as compras do senhor que estava à minha frente, de vez em quando me olhava. Na minha vez, perguntou gentilmente se eu desejava nota fiscal paulista. Até aquela moça, uma pessoa que só me via vez por outra, conseguiu perceber minha invejável distância do mundo, minha sincera apatia por obrigações sem sentido. Afinal, havia um sol lindo de outono.

Foi no início do mestrado que eu retornei ao candomblé. Sabe, vó, depois de sucessivas decepções com sacerdotes, minha mãe acabou abandonando a religião e num ato de fúria se desfez de tudo. Por conta disso passei muitos anos afastada do terreiro. Aceitava como cultura, participava de palestras na Casa de Cultura da Mulher Negra, mas me recusava a seguir nessa direção espiritualmente. Tudo começou a mudar quando minha amiga Flávia, aquela que mimava Thulane, decidiu se iniciar e me convidou para assistir a sua saída, o momento em que seria apresentada como Iaô. Ela morava em Santos, mas o terreiro que frequentava ficava em Taboão da Serra. Fui de carona com os pais dela.

Quando cheguei lá, a Ialorixá da casa, a grande Mãe Ana de Ogum, sem me conhecer, me olhou e disse: "Olá, Oxóssi, seja bem-vinda". No momento em que Flávia, filha de Iansã, saiu aos toques do atabaque, tive uma intensa crise de choro. A mãe dela tentava me acalmar, mas em vão. Mãe Ana me observava do outro lado do barracão, assentindo com a cabeça. Terminada a cerimônia, ela veio conversar comigo: "Minha filha, você viu o estado em que você ficou? Isso é Orixá te chamando de volta, você é iniciada, precisa cuidar das suas coisas. Não precisa ser aqui comigo, mas você precisa cuidar".

Aquelas palavras soaram como um abraço. Eu voltei algumas vezes ao terreiro de Mãe Ana, que tão generosamente me acolheu. Ela me disse que eu precisava fazer o axexê de minha mãe, ritual fúnebre no candomblé, pois na época não havíamos feito, já que minha mãe não pertencia mais à religião.

Pouco depois, um colega de faculdade me apresentou ao terreiro Ilê Obá Ketu Axé Om'Nila, perto de São Paulo. A primeira vez que estive lá foi numa linda festa de Oxóssi, orixá da casa e também o meu. A festa foi linda e me senti acolhida. Semanas depois marquei um jogo de búzios, e enquanto esperava o babalorixá Rodney William me chamar, fui acometida por uma paz. E ali o caçador voltou pra casa.

Babalorixá Rodney disse a mesma coisa que Mãe Ana: "Sua mãe te iniciou no candomblé, agora é você quem vai ser responsável por fazer o ritual pra ela voltar pra casa". Doze anos já haviam se passado desde sua morte quando fizemos o axexê. Como parte do ritual, escrevi mensagens pra ela, e foi como se um ciclo se concluísse. Assim como faço com você agora, falei da minha vida, agradeci. A partir daquele momento, me senti reconectada com minha ancestralidade.

"Orixá sempre esteve com você, minha filha, era você que não estava com Orixá", pai Rodney me disse. E minha vida realmente ganhou mais sentido e passei a sentir mais sua presença, vó, de um modo que não me traz mais dor. Sinto que você está orgulhosa, e agora vai ficar mais ainda: Margareth Menezes, uma cantora baiana conhecida internacionalmente, fez uma música pra mim! Acho até que você sabe disso, pois Margareth me disse que, ao criar a letra, ela sentiu necessidade de falar de Nanã. E não sabia que você era de Nanã... O nome da canção é "Djamila, Ribeirão de Luz" e conta minha história, fala dos livros, da relação com meus pais e com os orixás. Quando ela cantou a música pra mim, eu fui pega de surpresa. Nós estávamos conversando numa rede social e ela simplesmente começou a cantar. Quando eu entendi que se tratava de uma música em minha homenagem, as lágrimas rolaram. Senti um carinho na alma, os ancestrais felizes, me comunicando essa felicidade. Uma música que fala de você, vó, da minha mãe, de como fui feita no candomblé, Iemanjá sendo a minha mãe do coração. Coisas que eu não havia dividido publicamente. Ogum é o orixá de minha mãe; Nanã, a sua. É interessante como esses orixás foram descritos na música, e isso só reforçou minha fé. Demorou, mas agora consigo entender. E me vejo como uma parte que se integra ao todo.

Quando Denis me mandou aquela sua foto vestida com roupa de candomblé, fiquei um bom tempo olhando para ela, com lágrimas nos olhos. Eu sabia que você frequentava o terreiro, mas eu nunca havia visto você usando os trajes.

E ali tudo fez mais sentido, a linhagem feminina da nossa família foi a responsável por ser a guardiã e protetora da nossa ancestralidade. Você foi iniciada, filha de Nanã, minha mãe, filha de Ogum, eu, filha de Oxóssi, Thulane, filha de Iemanjá.

Ao escrever essas cartas, muita coisa mudou. Thulane decidiu conhecer o terreiro, jogou búzios com o babalorixá Rodney e se encantou com a religião. Até já chama Iemanjá de mãe. Aquela foto me impactou de uma forma muito forte, era como se você estivesse me contando mais sobre você para que eu pudesse descobrir mais sobre mim. Como meu babalorixá sempre diz, a dança dos orixás, o xirê, você sabe, acontece em círculo e em sentido anti-horário. Em um dado momento, a mais velha encontrará a mais nova. A mais nova precisa da mais velha porque a última pavimentou os caminhos que permitiram a existência da mais nova. E a mais velha também precisa da mais nova para continuar existindo. Não há mais fragmentos soltos, há continuidade e permanência.

> *O pássaro da liberdade chegou,*
> *Planou por toda cidade, planou*
> *Nasceu nos braços dos Santos*
> *Voou por todos os cantos*
> *Cruzou a fronteira é libertador*
>
> *Seguindo seu pai*
> *Tem os livros no altar*
> *Uma luz de potente força no olhar*

Ascendente de inteligência
Negritude profunda potência
Filha de Oxóssi
Coração de Iemanjá

Seu despertar
É de quem tem o dom
Mulher de fé
Capitã da Geração
Sua espada é sua Caneta
Claridade é sua competência
Ensinando ao povo
Pegar a visão

Djamila Ribeiro (hão) de Luz
Pra navegar nos mares do amor
Oxalá é quem te conduz
Tem guarnição de Ogum e Nanã Borocô

Aos trinta e seis anos, vó, depois de treze anos de casamento, eu me separei. Me mudei para São Paulo com Thulane, onde vivo desde então. Donald e eu queríamos fazer o casamento dar certo, mas era o que significava dar certo que não nos entendíamos. E foi importante libertar a nós dois. Penso que amar é ser suave com as diferenças do outro. Eu não precisava de um juiz, para esse papel já tinha o mundo. Recomeçar a vida não foi fácil, a gente se acostuma tanto a estar com alguém, a depender por anos, que praticamente esquece o que é viver só.

Enquanto eu procurava um apartamento em São Paulo, Thulane ficou com o pai. Foram meses decidindo onde ela estudaria, quais atividades eu teria condições de pagar fora da escola. Quando finalmente encontrei uma casa no final de 2016, meu trabalho como secretária-adjunta de Direitos Humanos de São Paulo estava terminando. Foi um período importante da minha vida, sabe. Trabalhei durante a gestão do prefeito Fernando Haddad. No ano seguinte, esse empenho me valeu o prêmio Cidadã São Paulo na categoria Direitos Humanos.

Como não tinha mais trabalho fixo, preferi não me endividar e comprei o necessário: fogão, geladeira, duas camas. Da minha vida pregressa, trouxe somente meus livros e minhas roupas. Sentia necessidade de começar de novo. Não tinha condições de mobiliar a casa toda, e disse a Thulane que, se quisesse, poderia ficar com o pai, cuja casa já estava estruturada, até que conseguisse me organizar. Para minha alegria, ela decidiu recomeçar junto comigo.

No início de 2017, apresentei uma temporada do programa *Entrevista*, no Canal Futura. As gravações aconteciam no Rio de Janeiro e foi importante contar com uma rede de apoio para me ajudar a cuidar de Thulane: algumas amigas se revezaram para que eu pudesse trabalhar. Foi uma experiência muito marcante, entrevistar pessoas cujos trabalhos eram significativos para a sociedade. Minha primeira entrevistada foi Marielle Franco, que no ano anterior havia sido uma das vereadoras mais votadas no Rio. Uma mulher combativa, admirável, que teve a vida interrompida de forma drástica, assassinada com quatros tiros poucos meses depois. Espero que esteja bem aí no Orun.

Com parte do pagamento como apresentadora, comprei uma máquina de lavar e um sofá. Thulane nunca reclamou de precisar sentar no chão por um tempo, de não ter mesa para fazer lição. Não sei se sentia falta ou não, mas ela me dizia "Mãe, está tudo bem recomeçar a vida". Quando eu fazia algum trabalho — "agora a mamãe tem dinheiro pra gente comprar um micro-ondas!" —, ela se alegrava e ia escolher a nova aquisição comigo. Compramos nossa mesa no final de 2017 e foi uma festa. Foi bom redescobrir meus gostos, descartar coisas das quais fui condicionada a gostar.

Thulane e eu montamos um lar. É importante que você saiba que sua bisneta é incrível. Foi fundamental contar com a parceria dela naquele momento, impressionante como ela me apoiou, me compreendeu. Quando eu contei a ela sobre a separação, estava com medo de sua reação, de fazê-la sofrer. Eu a levei para caminhar na praia, na beira do mar, algo que sempre fazíamos juntas. Aos onze anos, a resposta dela foi: "Mãe, divórcio faz parte da vida. Você tem o direito de ser feliz". Meus olhos se encheram de lágrimas e eu fiquei tocada e surpresa.

Por mais que entendamos que o fim é o único caminho possível para certas relações, quando esse momento chega não deixa de existir o luto. Quando era jovem e pensava que nunca casaria, eu dizia que o fim de um casamento significava ter de fazer outros álbuns de fotografia. Aos trinta e seis anos, entendi que a separação pode ser sentida como uma espécie de morte. Uma amiga chegou a questionar minha decisão utilizando o argumento "mas pelo menos ele não te bate". Dói ouvir isso: as mulheres estão submetidas a relacionamentos tão violentos que se não apanham já se dão por satisfeitas, como se fosse uma benesse e não um direito fundamental. Há casamentos terríveis e muitas mulheres pagam com a morte quando se negam a aceitar imposições machistas, isso é diário no Brasil, infelizmente.

E há aquelas que são incompreendidas quando ousam se separar de homens bons. "Pelo menos ele é um homem bom", "pelo menos é um bom pai", "pelo menos ele não bebe até cair", como se essas qualidades não fossem obrigações de uma pessoa minimamente decente. O parâmetro é tão baixo que quase me senti culpada por exercer meu direito de seguir minha vida. É triste observar que, para mulheres como eu, muitas vezes o casamento é visto como um prêmio, e abdicar dele pode ser encarado como desfaçatez. Foi triste observar que para as mulheres, sobretudo negras, o amor pode ser nivelado sempre por menos. Eu não podia aceitar o "pelo menos", eu tinha o direito de querer mais, mesmo que nem soubesse o que isso significava.

Respeito o pai da minha filha e desejo que ele seja feliz, nós compartilhamos o amor por um ser lindo, mas eu precisava ser fiel a mim mesma. Você ficou viúva em 1983, vó, minha mãe se divorciou em 1999. Nossas vidas tomaram rumos diferentes, mas posso afirmar, feliz, que hoje não sonho mais com o amor. Hoje, num novo relacionamento, vivencio o amor em todas as suas possibilidades, como porto e liberdade.

"Mãe, me leva ao dermatologista, estou com umas manchas esquisitas."

"Claro, filha."

"Obrigada."

Jamais agradeci a meus pais por me levarem ao médico ou coisa parecida. Na minha inocência, eu entendia que essas eram coisas que mães e pais faziam, como parte de sua "obrigação". Thulane não vê assim. E acho lindo, talvez ela me enxergue para além do papel de mãe, talvez conheça a Djamila. Faço questão de lhe dizer quando estou triste, de falar quem eu sou. Claro que sou filha de dona Erani e não tolero desrespeito — exerço autoridade, não autoritarismo. Eu não queria educá-la para ter medo de mim, mas para me respeitar. Estou aprendendo a ser mais generosa comigo mesma quando erro, procuro não me cobrar tanto. Faço isso por nós, para romper mais um ciclo imposto pelas mãos invisíveis.

E nossa relação é baseada na confiança. Ela me fala dos problemas na escola, dos meninos que acha interessantes. Um ciclo de silêncio sobre sexualidade foi quebrado e ela me expõe suas dúvidas naturalmente (às vezes me assusto em perceber como ela cresceu). Assim como você, vó, ela adora plantas, embora ainda estejamos aprendendo como cuidar de todas que temos aqui em casa. Outro dia, ela ficou aos prantos porque o abacateiro havia morrido.

Thulane é muito sensível. Eu a confortei, disse que veríamos o que havia acontecido de errado com o abacateiro e foi preciso fazer um minuto de silêncio. Pensei em você, vó, que saberia responder o que deu errado e como nos ensinaria como cuidar melhor dele. Mas tudo bem: a vida também é feita da falta. Muitas vezes Thulane é dramática, você sabe, puxou à avó…

Continuo cuidando das ervas como você me ensinou, dou banho de arruda e guiné em Thulane depois de esfregar as ervas em seu corpo. Houve um tempo em que ela se disse ateia. Fingi que aceitei, mas em toda oportunidade eu a alfinetava: "Aff, se sua bisavó benzedeira ouvisse isso, você é bisneta de bruxa, minha filha, não adianta negar".

Poder contar com amigas leais é um dos pontos mais importantes da minha vida. Passei a infância e adolescência sem ter muitas amigas e na fase adulta me deparei com pessoas que só queriam receber, sem dar nada em troca. Hoje posso dizer com alegria que tenho em quem confiar. Já te falei da Flávia e da Marília, mas também gostaria de te contar sobre a Débora.

Eu a conheci em 2015, em um evento na Universidade Federal de Santa Catarina, onde ela cursava psicologia. E a identificação foi imediata. Em 2016, quando Donald e eu estávamos prestes a nos separar, ela acolheu a mim e a Thulane por uns dias em sua casa, em Florianópolis. E nos levou para passear, e sua bisneta, vó, realizou o sonho que tinha de conhecer a Praia do Rosa.

Tanto Flávia quanto Marília e Débora são apaixonadas por Thulane, cuidam dela, a amam e a protegem. E aconteceu uma coisa linda. Eu sempre falava de uma para as outras, que não se conheciam entre si. Um dia Flávia me pediu para criar um grupo em um aplicativo de conversa, assim todas se conheceriam. E assim fiz. Antes, o que as unia era o amor por mim e por Thulane, hoje todas estão unidas pelo amor e a amizade de umas pelas outras. Nosso grupo é um espaço de trocas, curas, risadas. Flávia já era iniciada no candomblé, como eu disse; levei Marília e Débora para conhecerem o terreiro que frequento. Também apresentei a elas algumas terapias energéticas, e hoje nós quatro as seguimos. Flávia e Débora são muito parecidas e até brincam que são gêmeas — urbanas, taurinas, metódicas. Já Marília e eu somos mais sonhadoras, místicas. É muito bonito acompanhar as potências que se criam com nossas diferenças e o quanto aprendemos com elas. Estar nesse grupo, nesse espaço seguro de afeto, foi e é fundamental para mim. Nunca mais me senti só.

Vó, poucas pessoas sabem que gosto de escrever contos e poesias. Passei a escrever após a sua morte, quando tinha treze anos. Tenho vários cadernos com poemas, que nunca mostrei a ninguém — um hábito que herdei do meu pai. Sempre me pareceu que este não era um lugar pra mim e eu sentia muita vergonha de mostrar meus escritos, medo de me sentir invadida, não sei. No início da fase adulta, me inscrevi em alguns concursos, recebi menção honrosa em alguns, e em 2007 um poema meu foi finalista do concurso Mapa Cultural Paulista. Fui a Bertioga, pertinho de Santos, ver meu poema exposto num centro de artes. Fiquei feliz e orgulhosa, mas lembro de ir sozinha, ainda me sentia constrangida.

Em 2008, dez poemas meus foram selecionados para o concurso Momento do Autor, da Secretaria de Cultura de Santos. Eu e mais três poetas da cidade tivemos nossos poemas publicados em uma antologia. O lançamento foi todo pomposo, no lindo prédio da Pinacoteca de Santos, e dessa vez parte da minha família esteve presente — Dara, Donald e a mãe dele. Foi um momento lindo para mim. Eu me arrumei toda com a ajuda da minha irmã, escolhi uma caneta bonita para autografar o livro. Foi como sair de um casulo.

Por mais que se tratasse de um livro simples, fiquei feliz. A foto ao lado da minha breve biografia era a mesma do crachá da empresa portuária em que trabalhei. Não sei por quê, mas depois que saiu essa antologia não voltei a comentar mais com ninguém sobre o assunto. De algum modo, sinto que não ter nem você nem minha mãe para partilhar isso comigo me fez não querer partilhar com mais ninguém. Talvez ainda estivesse vivendo meu luto. Ou talvez tivesse vergonha de me expor. Em 2009, outro poema recebeu menção honrosa e foi publicado em uma antologia organizada pela Secretaria de Cultura de Colatina, no Espírito Santos. Em 2010 venci o 1 Concurso Literário da Unifesp com o poema "Velhas canções":

> Como se criam novas memórias para velhas canções?
> Queria reorganizar a linha do tempo
> alinhar a ordem das canções
> sintonizar outras estações
> ler diversas partituras
> afinar outros violões
> compor novos acordes
> baixar diferentes melodias.
> Ou,
> talvez devesse aceitar essa sina em desafino.

Ele sempre estará preso às velhas canções.
Na sutil inquietação de cada nota musical
que faz emergir o breve passado das lembranças (des)
[gostosas.

Esse mesmo poema, no ano seguinte, também foi publicado em uma antologia da Universidade Federal de São João del-Rei, em Minas Gerais. Fui até lá para o lançamento e foi um momento feliz na minha vida. Não tinha pretensões de ser reconhecida como poeta, simplesmente amava escrever e participar desses encontros em que ficávamos extremamente felizes em reunir trinta, quarenta pessoas para conversar e brindar àqueles e àquelas que se emocionavam em ver seus poemas publicados. Era tudo muito simples, vó, mas era tudo muito lindo.

    Escolhia a melhor roupa, meu coração disparava, realmente curtia o momento. Posso apostar que você e minha mãe fariam dessas premiações, por mais modestas que fossem, uma verdadeira entrega do Oscar só por eu estar lá. A vizinhança toda saberia que sua neta de Santos ganhara um concurso de poesia, cada um que fosse se benzer ficaria a par da notícia. Minha mãe faria questão de se gabar para todos que encontrasse na feira, os vizinhos que nos chamavam de "os neguinhos lá da frente". Tudo acabaria numa grande festa com churrasco e samba.

Quando eu tinha vinte e um anos e trabalhava na Casa de Cultura da Mulher Negra, fui apresentada a uma série de autoras negras. Na biblioteca, que levava o nome de Carolina Maria de Jesus, eu soube da existência dessa grande escritora brasileira. E foi lá também que fui apresentada à obra de Toni Morrison, Maya Angelou e Alice Walker. Sinto que fui abraçada por essas mulheres em meus períodos de incertezas e nos momentos em que me sentia perdida. Fui abraçada por essa literatura que me salvou muitas vezes da tristeza e da incompreensão.

Alice Walker lançou uma editora ativista, a Wild Tree Press, para poder publicar seus livros e de outras mulheres negras nos Estados Unidos, num momento em que o catálogo das editoras era predominantemente branco. Seu livro *De amor e desespero: histórias de mulheres negras* marcou o início da minha vida adulta, assim como os poemas de Angelou como "Ainda assim eu me levanto" e "Mulher fenomenal". Essas mulheres negras tão distantes geograficamente me afagaram em muitas noites de solidão. Quando não estava trabalhando, passava horas lendo. Comecei a escrever na revista da organização, *Eparrei*, e tive a oportunidade de entrevistar diversas lideranças do movimento de mulheres negras, com as quais aprendi muito. Participei da organização de eventos importantes como o Seminário Pós-Durban, em 2002, sobre a grande conferência internacional que acontecera no ano anterior; e o Seminário Nacional de Educação e Cultura Afro-Brasileira, em 2004. Essas experiências foram fundamentais para me botar no prumo. Para que eu pudesse entender quais seriam meus objetivos de vida, entender que a vida poderia ser mais.

Mas, de fato, a literatura escrita por mulheres negras foi um bálsamo e uma dádiva. Morrison é uma das minhas favoritas, sou capaz de ficar horas assistindo a suas entrevistas, aprendendo com sua postura e elegância, sobretudo com suas palavras. Essas mulheres negras mais velhas me deram colo quando eu deixei de ter as minhas mais velhas aqui. Ao mesmo tempo que me desafiaram a olhar o mundo, vó, trouxeram incômodos necessários para se refletir. Elas foram tão marcantes que eu ainda não consigo acreditar que escrevi o prefácio da edição brasileira de *Eu sei por que o pássaro canta na gaiola*, de Angelou (Oprah Winfrey escreveu o prefácio da edição original). Assim como ainda me é inacreditável ter escrito o prefácio de uma edição de *O olho mais azul*, meses antes do falecimento de Toni Morrison, com a autorização de seu agente. Indiquei o livro quando fui curadora de um clube de livros e ele foi reeditado no Brasil. Ter assinado aquele texto e vê-lo publicado em um livro da minha autora favorita me tocou profundamente. E me senti mais conectada ainda. Senti como um presente da ancestralidade, como se as mais velhas mostrassem que seguem cuidando de mim.

Recentemente tive um sonho muito gratificante com algumas anciãs. Elas estavam numa floresta, sentadas, todas de branco. Uma delas trazia uma longa trança em seus cabelos grisalhos. Quando eu chegava, elas começavam a me aplaudir. Acordei e senti uma paz de espírito como há muito não sentia.

De alguma forma, escrever para você me conectou ainda mais com minha ancestralidade. Hoje já não choro de dor. Sinto saudade, como não? E lembro com alegria dos momentos que tivemos. Se estou triste, procuro ver o mar. Se não posso, imagino que estou no mar e Iemanjá surge com seus seios fartos, passa água na minha cabeça e me aninha em seu colo. Ela conversa comigo, diz para eu não ter medo, e eu vou me acalmando, deixando a tristeza sair.

Se antes eu amava tomar sorvete em dia quente, hoje tento amar com a paz de um viajante sem rumo. Se antes falava com a inexpressão de meias palavras, com a ânsia de quem extravasa, hoje consigo falar em silêncio. Se antes desejava como quem quer enxugar um pranto doloroso, com a euforia das compras de fim de ano, hoje desejo com a serenidade da noite por um dia de sol. Se antes eu queria as coisas como tempestade de granizo em telhado de vidro, hoje as quero com a força do parto gerando vida, com a alegria de quem come maçã do amor em festa junina. Se antes amava com a sede do deserto, hoje amo saciada com a paciência de quem tira água de um poço. O que quero dizer, vó, é que hoje eu não tenho pressa.

    Recebo cartas e mensagens de mulheres mais velhas que rezam por mim. Uma delas disse que acende velas por mim todos os dias. A verdade é que você nunca deixou de cuidar de mim ou enviar quem cuidasse. As mulheres negras salvaram a minha vida.

Querida vó Antônia, ainda tenho tanto pra contar... Mas nossa conversa não termina aqui.

Recentemente, publiquei um livro escrito por dezoito mulheres quilombolas e me emocionei quando uma delas me mandou uma foto que a mostrava lendo o livro para a matriarca de seu quilombo. Vi você ali, feliz pela neta que conseguiu estudar. Venho de uma dinastia de empregadas domésticas, lavadeiras, quituteiras, mestras nas sabedorias de multiplicar, que sempre lutaram para que a gente também pudesse ser "doutora".

Eu lhe perguntei como você lidava com o racismo, mas a verdade é que, independentemente de como foi, saiba que hoje sou referência no enfrentamento a essa violência. Sou porque você foi. Minha mãe saiu de casa com dezoito anos rumo a uma vida incerta, eu tive coragem de escolher estudar em outra cidade mesmo quando tudo era incerto também.

Tive a quem puxar. Você era a benzedeira das multidões, centenas de pessoas faziam fila para receber seu atendimento. Você fazia a comida render para alimentar uma família grande. Quando benzia, quando enterrava feitiços no quintal, você fazia cultura negra — mesmo sem saber. Quanto disso ainda está em mim e se potencializa de outras formas?

Não ter vivido mais tempo com você e minha mãe me fez aceitar a tristeza. Há dias tristes em que tento preencher o vazio com belas canções e poemas de amor. Suprir minha carência com sonhos antigos e lembranças. Há dias tristes em que preciso chorar a mágoa da vida, a oportunidade perdida e a falta dos dias de sol. Há dias tristes em que devo ao menos me dar migalhas de esperança e aceitar a dor. O peito aperta, a TV não pega e a chuva encharca as roupas no varal. Histórias de amor acabam, algumas dublagens são ruins, pessoas se afastam, caminhos são separados. Bifurcações existem e a hora do adeus também, e impedir as lágrimas é arrogância. Porque há dias tristes, aceno para a vida. Há dias tristes para que eu me lembre que a felicidade vem de mim, há dias tristes para que eu aprenda a valorizar minha alegria. Não há de se brigar com os dias tristes e nem fugir deles. Há de se aceitar que a vida também é feita de dias tristes.

Eu não me afundo na amargura, pois tive uma avó que ensinou que chá de boldo também cura.

1ª EDIÇÃO [2021] 4 reimpressões

ESTA OBRA FOI COMPOSTA EM MINION PELO ESTÚDIO O.L.M. / FLAVIO PERALTA
E IMPRESSA EM OFSETE PELA GEOGRÁFICA SOBRE PAPEL PÓLEN NATURAL
DA SUZANO S.A. PARA A EDITORA SCHWARCZ EM JUNHO DE 2023

A marca FSC® é a garantia de que a madeira utilizada na fabricação do papel deste livro provém de florestas que foram gerenciadas de maneira ambientalmente correta, socialmente justa e economicamente viável, além de outras fontes de origem controlada.